U0149234

乙未割臺前後林維朝之國族認同與生命抉擇

陳 素 雲 著

文 史 哲 學 集 成
文史哲出版社印行

國家圖書館出版品預行編目資料

乙未割臺前後林維朝之國族認同與生命抉擇
/ 陳素雲著 -- 初版. -- 臺北市：文史哲，
民 97.07
頁：公分.（文史哲學集成；552）
參考書目
ISBN 978-957-801-6 (平裝)

1.民族史

536.2　　　　97013696

文史哲學集成　552

乙未割臺前後林維朝之國族認同與生命抉擇

著　者：陳　素　雲
出 版 者：文　史　哲　出　版　社
http://www.lapen.com.tw
登記證字號：行政院新聞局版臺業字五三三七號
發 行 人：彭　正　雄
發 行 所：文　史　哲　出　版　社
印 刷 者：文　史　哲　出　版　社
臺北市羅斯福路一段七十二巷四號
郵政劃撥帳號：一六一八〇一七五
電話886-2-23511028・傳真886-2-23965656

實價新臺幣三〇〇元

中華民國九十七年（2008）七月初版

ISBN 978-957-549-801-6

乙未割臺前後林維朝之國族認同與生命抉擇

目 錄

緒 論

很少有族群像臺灣人這般對「我是誰」充滿如此多的焦慮與爭議，尤其在 1987 年解除戒嚴以來，數十年的思想箝制與言論禁錮的魔咒一旦解開，多元的論述於焉展開，臺灣人的身分認同與國家定位問題瞬間引爆，展開了極大的討論空間：「我是臺灣人，不是中國人」「我是臺灣人，也是中國人」「我是中國人，不是臺灣人」「大家都是新臺灣人」等等，各種論辯紛紛擾擾，壁壘分明，針鋒相對，甚而引發激烈的族群對立。

光緒二十一年（1895）4 月 17 日，李鴻章和伊藤博文正式簽下馬關條約。清廷以臺灣孤懸海外，比之京師則臺灣爲輕，將臺灣、澎湖割讓予日本。在臺的滿清文武官員奉旨內渡回朝。臺灣巡撫唐景崧在丘逢甲的懇請下，成立臺灣民主國。五月基隆陷落，唐景崧乘夜攜眷遠走廈門，臺灣民主國瞬間瓦解。這一轉捩點是臺灣人臺灣意識的萌芽起點。

基於臍帶血脈相連的祖國情懷，許多臺灣仕紳紛紛選擇回大陸，當時臺灣人內渡的相當多，稱之爲「走日本仔反」。可見當時臺灣士人將清領的中國視爲母國，即使是遭受母國不公平的對待（割讓），仍思回歸母國的懷抱。然而即使是回到祖先曾經落籍的祖籍地，仍覺得身處異鄉；加上不幸又遭逢 1894 年以來大陸東南沿海的鼠疫大流行，許多臺灣人命喪客居地；以及在大陸謀生困難，端賴臺灣供給，許多臺灣人驚覺到那塊生於斯長於斯的蕞爾小島才是自己安身立命的歸趨。故寧願冒著異族統治可能遭迫害的陰影，紛紛回到臺灣，選擇擁抱鄉土。

臺灣漢系移民「渡大海，入荒陬」「篳路藍縷，以啓山林」[1]離鄉渡海深入荒島開拓海外新故鄉，然而他們從未懷有像美國脫離英國而獨立的念頭，僅一再苟安於幾度易幟的不同政權，受宰制的命運成了臺灣人苦難的宿命。

1624 年荷蘭人由臺南鹿耳門入據臺江；1626 年西班牙侵犯基隆，1628 年佔據淡水；1641 年荷蘭逐出西班牙勢力；1661 年，明鄭驅退荷蘭，建立了第一個漢人政權；1683 年，施琅攻臺，鄭克塽率眾投降，清朝遂領有臺灣；以至 1895 年清廷割讓臺灣予日本。臺灣如孤兒般擺盪在不同名號的外來政權間，唯一不變的是臺灣人被驅策的奴僕命運。

臺灣人以漢族移民的血緣認同，將中國視爲母國。然而就法理上言，臺灣已成爲日本版圖的一部分，臺灣人的命運已然被決定爲必須接受外來的日本政權。在這個改朝換代之際，臺灣一向以科舉爲職志的讀書人，面對這未曾有之變局，

1 連橫，《臺灣通史》，臺北：時報出版公司，1996 年，頁 253、255。

他們將何去何從呢？這是本文主要探討的課題。

施懿琳在撰述日治初期政權轉移下的彰化傳統文人，將之概分爲：一、西渡大陸者。二、閉門不出，披髮佯狂者。三、與日本執政者保持良好關係者。四、藉由詩社組織推行文化抗日者。[2]而江寶釵在撰述《嘉義地區古典文學發展史》時，將此時期的傳統文人區分爲：隨事應變者、隱遁不預世事者、開館設塾者三類。[3]

本人在檢視新港前清秀才林維朝之著作，及觀察其一生事蹟時，發現他兼具多重性格，很難截然劃分將之歸爲哪一種類型，然其中隱隱約約又似乎可以釐清出一條思想脈絡，寓含著臺灣人的挫折與隱忍，臺灣人的曲折反抗與迤邐求生錯綜複雜的多重樣貌，呈現著似柔弱實堅強的韌性，這也是許多臺灣傳統文人所選擇的道路。故本文擬以新港前清秀才林維朝爲例，探索乙未割臺前後臺灣人的身分認同與身心安頓，以及臺灣人中國意識與臺灣意識的糾葛情結。

---

2 施懿琳、楊翠合撰，《彰化縣文學發展史（上）》，彰化：彰化縣立文化中心，1997 年，頁 94。

3 江寶釵，《嘉義地區古典文學發展史》，嘉義：嘉義市立文化中心，1998 年，頁 141。

第一章　林維朝著作及其價值

第一節　林維朝詩文集付梓滄桑史

新港前清秀才林維朝，生於同治七年（1868），歷經清朝及日本統治的時代，於昭和九年（1934）過世，留下的手稿包括有：《初囀集》、《怡園唱和集》、五冊《怡園吟草》、《雜作》、《文稿》、《勞生略歷》、《壽詩文集附并蒂菊詩》等詩文稿。

林維朝在世時，本擬將所作之詩文刊載於世，適基隆周士衡[1]來求取去，云欲備載《詩報》，溥耀藝苑精華。不料，一夕風雨淋漓，沿途海市，周君散課歸來，殞遭不測，人亡稿失。洪大川[2]曾對維朝師詩文稿計刷阻折之憾作如下的描

1 周士衡，號野鶴，臺北人。1917 年與三貂地區賢達成立「雙溪吟會」，藉此綿延漢學，推行詩學教育。「雙溪吟社」後發展成「貂山吟社」。曾加入鶴社、瀛社、大同吟社等北部詩社，曾任《詩報》編輯而名滿全臺。33 歲亡。

2 洪大川（1907-1984），嘉義縣新港鄉人，受教於林維朝及吳蔭培兩位秀才，建立紮實的漢學基礎。十九歲起即設帳授徒，曾施教於雲林縣水林鄉的蕃薯厝，嘉義縣的竹崎、梅山、溪口、民雄等地。善卜，亦精研地理風水及中醫，中晚年以行醫及堪輿營生。好讀書亦擅詩文，曾加入淡交吟社、轂

述：「正在斯時。我師聞訊。急託數人到彼催討。櫥裡一見空虛。竟難原璧還趙。枉其倩人謄校之勞。爲此思懸。幾次長吁。觀其珍惜。莫可言狀。……哀哉。即今所存原稿。祇其平時草率行書。」[3]一生心血，未得付梓，林維朝是帶著遺憾離開人世的。

昭和十八年（1943），林維朝的次子林開泰[4]去世。君子疾沒世而名不稱，維朝的長子林蘭芽[5]念茲在茲，想將父親遺

音吟社，亦曾參與鷗社、菼社、笑園吟社等詩社之活動。年屆不惑，遷居北港，加入汾津吟社，成爲該社重要成員。曾於朝天宮旁懸壺；也曾於北港民眾服務處開設漢文研究班，專授漢詩習作。民國五十五年（1966），洪大川自費出版《事志齋詩文集》，此書乃是洪大川畢生著作《事志齋吟草》、《事志齋文集》、《汾南書塾記事珠》之合刊本。【參閱黃佳芬，《洪大川詩文研究》（碩士論文），雲林縣斗六市：國立雲林科技大學漢學所，2007年】。

3 洪大川，〈寄王則修先生爲維朝師作全集序〉，《事志齋詩文集．事志齋文集》（雲林縣北港鎮：洪大川自費出版，1966年），卷三，頁30。

4 林開泰（1895-1943），林維朝次子，畢業於臺灣總督府醫學校。是位詩人醫師，常免費爲無錢者醫病，閒暇時喜吟詩自娛，參加彰化「崇文社」等徵詩比賽屢屢得魁。

5 林蘭芽（1893－1977），林維朝長子，臺灣總督府國語學校畢業。大正十二年（1923）十一月出任新巷庄長，以迄昭和十一年（1936）五月離職，擔任庄長十三年餘，以獎勵農業，提倡教育，深具績效，先後獲表揚九次之多。昭和十三年（1938）起，膺選爲臺南州參議員、臺南州農會理事、嘉南大圳水利組合評議員等，貢獻良多，深受農民愛戴。光復後，被委任爲官派第一任新港鄉長（民國三十四年十一月至三十五年二月），並兼農會會長。民國三十五年（1946）奉命接收嘉南水利組合，出任嘉南大圳水利協會理事長。民國三十七年（1948），水利協會改組爲嘉南大圳水利委員會，林蘭芽當選第一屆主任委員並連任，其間曾兼臺灣省水利聯合會主任委員及理事長等職。民國四十五年（1956）當選嘉南農田水利會第一屆會長至民國四十八年（1959）。其擔任水利會會長期間較重要的政績有規劃曾文水庫並調查白河水庫、規劃烏山頭風景區等。【參閱林蘭芽，〈履歷書〉，及臺灣省嘉南農田水利會編，《嘉南農田水利會七十年史》（臺南：臺灣省嘉南農田水利會，1992年）】

稿付梓的意念愈加強烈。

他請洪大川向新化王則修[6]、臺中王竹修[7]馳書懇序。然而是年年底，臺灣開始遭受盟軍飛機的空襲。翌年，全島各地頻遭轟炸，飽受戰火蹂躪，林維朝全集的出版遂胎死腹中。值得欣慰的是：在整理父親遺稿時，林蘭芽意外地發現了父親未完成的自傳——《勞生略歷》，可惜行文到一八九六年即戛然而止。

民國四十九年（1960），林蘭芽卸下會長的職務，自嘉南水利會退休。爲父親遺稿付梓的念頭未曾稍懈。他花了很長的時間，親手謄錄了一千多首，將出版林維朝詩集的任務交棒給時任雲林縣長的侄兒林金生[8]。

林金生商請古典詩學造詣深厚的博學鴻儒代爲選詩，選出五、六百首，希望出版林維朝詩選，然而公務繁忙，出版事宜始終遲遲未見下文。隨著時間流逝，林維朝已漸爲臺灣

6 王則修（1867-1952），即王文德，字則修，臺南縣新化鎮人，前清秀才。乙未割臺後在臺南營商十餘年，失敗，重回新化授徒。曾應聘至臺中縣清水鎮爲西賓，亦曾擔任《臺灣新報》記者。後回鄉設塾教學。昭和三年（1928）8月成立虎溪吟社，被推舉爲社長，鼓勵風雅，不遺餘力。【參閱賴子清，〈嘉義科甲選士錄〉，《嘉義文獻》創刊號（1961 年 10 月），頁 73，王文德條】。

7 王竹修（1866-1944），字虛菴，號養拙。新竹人，後遷居臺中。清光緒年間邑庠生。年未四十而重聽，然聾於耳不聾於心。工詩文，書法名聞全臺，與王石鵬、王則修併稱三王。【參閱國史館臺灣文獻館編，《臺灣早期書畫專輯》，南投：國史館臺灣文獻館，2006 年再版，頁 150】。

8 林金生（1916-2001），林維朝次子林開泰之長子，雲門舞集創辦人林懷民之父，曾任嘉義、雲林縣長及內政部長、交通部長、考試院副院長、總統府資政等職，是臺灣人在政壇上罕見的長青樹。

人，甚或新港人所淡忘。

賴鶴洲撰寫〈諸羅文化三百年概說〉一文時，提及林維朝《怡園吟草》有刊行價值，卻未能付梓，深以為憾。[9]

六〇年代，新港、北港爆發笨港之爭，這項論爭一直蔓延至今。論戰的焦點，始終環繞在「笨港是否被洪水沖毀」這個話題打轉，事實上，爭論的主題只有一個：哪座廟才是清康熙年間設立的笨港天妃廟正統？新港人認為：歷經河流改道及洪水氾濫等災變，舊笨港已被沖毀，天妃廟的文物及笨港縣丞署遷移到新港，新港才是舊笨港的傳承者。而北港鎮人士則認為舊笨港並未被毀，朝天宮即是天妃廟，朝天宮才是真正媽祖正統。

笨港之爭風起雲湧之時，新港文史研究者李安邦醫師向林維朝家族求援，希望能提供相關史料。民國五十六年（1967），林維朝長子林蘭芽抄錄《勞生略歷》光緒十八、十九年新港縣丞署記事以贈，證實光緒年間，確有「縣丞署」之衙署，可能是遷來新港日久，已逕稱之為「新港縣丞署」。

民國七十七年（1988），大甲鎮瀾宮改變進香路線，改道到新港遶境進香，此舉大大激怒了北港人士，笨港之爭風雲再起，愈發劍拔弩張。笨港媽祖文教基金會甚至向新港奉天宮下戰帖，欲針對「笨港毀滅論」、「誰是笨港天妃廟正統」

---

9 賴鶴洲，〈諸羅文化三百年概說〉，《嘉義文獻》創刊號（1961 年 10 月），頁 46。

展開公開辯論。兩造爭論，沸沸揚揚。臺灣最早的媽祖廟——笨港天妃廟是否已遭洪水沖毀，成了兩廟相互攻防的聚焦點。北港朝天宮指稱「笨港毀滅論」是新港奉天宮於民國五十六年（1967）才捏造出來的僞史。

除了以北港溪河川幾度變遷改道加以論證外，新港的文史研究者鄭朗雲及李安邦再度向林家求援，希望提供相關史料作爲佐證。林維朝家族提供《怡園唱和集》中的一首七律〈祝新港奉天宮落成式〉之詩註，證明大正六年（1917），林維朝詩稿中已確切留下了笨港天妃廟遭洪水沖毀之記事，並非民國五十六年（1967）才有此說。而兩位學術界教授林德政、蔡相煇亦相繼投入戰局，主修《新港奉天宮志》、《北港朝天宮志》，隔空交火，煙硝味十足。

林維朝家族實不欲陷入兩廟笨港之爭的泥淖，提供相關史料，只是希望能還原歷史之真面目，消彌無謂之紛爭。而新港奉天宮與北港朝天宮間的笨港之爭，却意外地將已漸被遺忘的林維朝炒熱。

如此說來，塵封七、八十年林維朝詩文稿的出版，應有助於還原及釐清部分史實，可作爲追溯歷史源流的一項佐證，較能貼近「歷史之真」。紛紛擾擾的開臺基地——笨港之爭，四十餘年來一直橫亙於新港、北港之間，是學術界極棘手的難題，在林維朝詩文稿內留下了較具可信度的原始資料。林維朝對地方史料的蒐羅與建構，亦可能作爲區域史甚或臺灣歷史重建的基盤。

隨著 1987 年的解嚴，及 2000 年的政黨輪替，本土意識成了主流價值。2001 年，北港著名商號資生行所收藏的抵押田產地契及古文書，經過選擇整理，由國史館出版爲《笨港古文書選輯》一書，揭開了笨港史研究的序幕。

不久，塵封了近百年的林維朝詩文集亦受國史館的青睞，2005 年，國史館館長張炎憲親自南下，鑑定林維朝遺稿的價值性。2006 年年底，《林維朝詩文集》由國史館出版。《林維朝詩文集》的得以出版，不啻是臺灣百年璞玉出土，對於保存臺灣史料及臺灣文學文獻均頗具貢獻性。

第二節　林維朝著作的史料價值與文化價值

在臺灣史研究日漸興盛的今天，私家文書的運用，對臺灣史研究的深化，具有重要的地位，光只是依賴公家文件檔案，往往只能把研究課題單純化或片面化，想把臺灣歷史詮釋、研究得更細緻，充份運用私家文書，是必需的。因此之故，新的一本臺灣歷史史料：私家文書《林維朝詩文集》的發掘與出土，也就格外的引人注目。

因限於篇幅，林維朝遺稿無法全部付梓，僅能擇要呈現。編排方式以時代先後爲序:《勞生略歷》(1868-1896);《初嚩集》(1891-1915);半冊《怡園唱和集》(1915-1918);《壽文集》(1928)。雖不無遺珠之撼,然已大致勾勒出林維朝一生的經歷、行誼,對其人其文其詩其事已能登堂入室,觀其堂奧。

《勞生略歷》採編年體,敘述年代起自同治七年(1868),迄於光緒二十二年(1896),前後二十九年,所述僅及其前半生之經歷。內容包括:臺灣士子的漢學養成、臺灣的科舉制度、清末的社會治安狀況、官紳間的互動關係、乙未割臺前後臺灣人的衝擊與反應、閩臺居民的交誼往來等,內容包羅萬象,是研究清末臺灣社會史相當珍貴的第一手史料。

《初嚩集》是林維朝初試啼聲的第一本詩集。創作年代自光緒十七年(1891)迄大正四年(1915)。有六年的時間與《勞生略歷》相重疊,可達到以詩證史、相互印證的功效。《勞生略歷》僅至1896年即戛然而止,實令人深以爲憾。而《初嚩集》所敍年代則長達二十五年,可視爲《勞生略歷》的延續,足以發揮以詩補史的功能。如此說來,詩與文可說是相輔相成,一體兩面之有機體,爲林維朝際遇多舛的一生,做出較詳盡且多視角的詮釋與透視。

《怡園唱和集》創作年代自大正四年(1915)至大正八年(1919)。本詩集大量並呈作者與詩友唱和之作,除有顯現政權轉移下，臺灣傳統文人詠懷詩所透露的隱晦心靈群像外；亦有存佚的史料價值，能補足雲嘉南地區傳統文人作品不足的現況。

《壽詩文集附并蒂菊詩》中之《壽詩文集》計有四篇文章，乃林維朝六一大壽時，他的至交好友爲他的一生所作的回顧與評價，具有重要的史料價值。壽詩則是林維朝詩友登門祝賀其六秩晉一榮壽所賦之詩，詩友們來自臺南、鹿港、廈門、斗六等地。爲了慶祝林維朝六一大壽，林家於屋前的馬路上連續演了三天的「大戲」（按：歌仔戲），擺了三天的壽宴，供前來道賀的人潮食用。[10]當時詩友所贈的祝壽賀匾：「天賜純嘏」、「壽考維祺」，目前仍高掛在林維朝故居的軒亭上。《壽詩文集》後所附的並蒂菊詩，則是詩友們登堂拜壽，正逢維朝故居怡園菊花盛開，並有花開並蒂的吉兆，故以並蒂菊爲題撰詩作賦。

然另有五冊的《怡園吟草》，撰述年代起自大正九年（1920），迄於昭和五年（1930）；及兩冊文集：《文稿》、《雜作》未能付梓，頗令人深以爲憾。

對於《林維朝詩文集》的出版，國史館館長張炎憲撰文加以肯定：「一百多年來，臺灣處於政權變動頻繁的年代。隨著時局轉變、新舊政權交替，典章制度和價值觀念隨即改變。

10 顏新珠編著，《打開新港人的相簿》，臺北：遠流出版公司，1995年，頁22。

臺灣人該如何自處，選擇在新政權中浮沈，還是遠離政權，自我放逐，或是選擇抗爭，不惜一死。到底要如何選擇，考驗著變局中臺灣人的智慧。不同的選擇，就會決定不同的走向與發展。林維朝就是處在時代變局中的人物。出生於 1868 年，逝世於 1934 年，跨越清國與日本統治的時代。」「林維朝徘徊於臺灣、中國與日本之間，一時選擇中國，終又回歸臺灣，選擇數代耕耘的祖業之地，做爲安身立命之所，這是當時許多臺灣人面臨政權變動時徘徊選擇的寫照。近年來，臺灣歷史文化的重建工作受到重視，但多偏重新文學與新文化運動，而忽略傳統仕紳資料的收集與研究。因此《林維朝詩文集》的出版，不只具有保存傳統資料的深意，更是瞭解維朝思想與作品風格的憑據，更能提供雲嘉南地區傳統文人交往、作品和文風的實證。」「希望此詩文集的出版，能補足雲嘉南地區傳統文人作品的不足而重建歷史文化。」[11]

成功大學歷史系副教授林德政因此書之出版而雀躍不已，指稱這是臺灣史研究上的一件盛事：「《林維朝詩文集》終於出版了，包括自傳《勞生略歷》與詩文兩大部分的這部書，它的問世，不僅是林家之盛事，也是嘉義新港之盛事，更是臺灣史研究上的一件盛事；這部書內容包括林維朝半生的重大經歷，也包括他大部份著述的精華，記載臺灣在清領

11 張炎憲，〈序一：跨越兩個時代的傳統仕紳〉，陳素雲主編，《林維朝詩文集》，臺北縣新店市：國史館，2006 年，頁四~五。

末期及日治初期的政治、經濟與社會狀況，甚至地理變遷，對於今日雲林、嘉義、臺南地區的仕紳及文人之交往情形更是多所著墨，這是一部寶貴的私家文書，對臺灣史研究的深化與廣化，必定有極大的貢獻。林維朝的前半生所反映的，是清領時期臺灣知識份子的思想模式與言行，他們受傳統中國文化的影響，傳統國學有一定造詣，能文能詩，熱愛鄉土，如果時代沒有變化，他們還是想走傳統科舉仕宦之路，出則仕、退則耕，……但是突然而來的中日甲午戰爭，阻斷了他跨海到大陸參加科考的夢想。第二年，中日馬關條約簽訂，臺灣割讓日本，林維朝、林旭初兩人分途回到大陸祖籍的漳州東山與漳州石碼，在停留一段時間之後，因爲遷居臺灣已經幾代，祖居地時空環境和人事都已變化，雙雙又回到臺灣，命運作弄，他們變成日本帝國主義統治之下的殖民地人民。身爲一個具有傳統中國初級功名的秀才，滿腦子的漢民族意識和漢文化思想，面對霸權意識濃厚的大和文化，心裡的衝突與挫折可想而知，然則臺灣局勢已變，心境必然得有所調適。了解臺灣割日之後傳統知識份子的心理變化與調適，是非常重要的，研讀他們的著述是最好的辦法，令人高興的是，林維朝寫有回憶錄和大量的詩、文，爲後代人留下寶貴的史料。」[12]

---

12 林德政，〈序四：在歷史巨變中見證臺灣歷史〉，陳素雲主編，《林維朝詩文集》，頁十四~十五。

林維朝遺稿，歷經清朝、日治與戰後三個不同的政權轉移，避開蟫魚之飽蝕，歷經天災、人禍，至今猶存，乃臺灣史研究之幸。詩文集內容觸及臺灣人心靈的底蘊，反映臺灣人迤邐求生與曲折反抗之多重面貌。林維朝弟子，著名的雲嘉地區古典詩人洪大川曾說:「我想是集刊行，一挽鯤島之頹風，一存吾儒之具魄。」[13]這個文化觀點，已預估了本書的價值。讓人不禁沉潛下來，反覆思索：何謂臺灣人？何謂臺灣魂？今日觀之，猶具有歷久彌新的時代意義。

13 洪大川，〈寄王竹修先生為維朝師作全集序〉，《事志齋詩文集．事志齋文集》，卷三，頁 31。

第二章　沉潛的中國意識

第一節　因科舉而深烙中華文化印記

新港前清秀才林維朝，其曾祖父林羨，於乾隆年間從漳州龍溪縣渡過凶險的臺灣海峽，移住於諸羅板頭厝（按：即今新港鄉板頭村），以農興家。祖父林老成曾被推選為壯丁團練局長，協助剿定戴萬生[1]之亂，賞戴五品藍翎。[2]後因笨港洪水氾濫，遂移居地勢較高的蔴園寮，也就是今天的新港街面。

1 戴萬生，即戴潮春，彰化縣四張犁（臺中北屯）人。因拒絕北路協副將的勒索，被迫辭職。1861 年回鄉擴大組織其兄所創的八卦會，後因聲勢浩大，為官府注目。1862 年臺灣道孔昭慈準備查辦。3 月林日成首先發難，在大墩殺淡水同知秋曰覲；戴潮春的黨羽也攻入彰化城，殺死臺灣道孔昭慈，戴潮春被推為大元帥。不久，大甲以南，嘉義以北紛紛響應。臺灣總兵林向榮死於斗六。1863 年 10 月新任臺灣道丁曰健來臺，由淡水登陸往南進攻，福建陸路提督林文察亦由府城往北攻擊。12 月丁曰健攻下斗六，戴潮春被殺。1864 年 1 月林文察也攻下四塊厝，林日成被擊斃。其他將領則於 1864 年 11 月才被剿滅。發生於 1862 年至 1864 年的戴潮春事件，是臺灣歷史上最久的民變。【參閱許雪姬總策劃，《臺灣歷史辭典》（臺北：文建會，2004 年），頁 1286-1287，林偉盛撰，戴潮春事件】。

2 （日）下村宏監修、鷹取田一郎執筆，《臺灣列紳傳》（臺北：臺灣總督府，1916 年），頁 247。林維朝之「曾祖父某更移于新港」，應改為「祖父」。

林維朝出生於同治七年（1868），自幼即飽讀詩書，同治十三年（1874）七歲時，由業師林逢其啓蒙讀四書；光緒三年（1877）轉就秀才楊棟樑[3]受學五經；光緒十二年（1886）又從貢生林如璋[4]受學古文、時文（按：八股文）。遍讀：論語、孟子、毛詩、易經、四書註、尙書、禮記、左傳等，並學作八股文及試帖五言詩。[5]當時臺灣讀書人的啓蒙教育與學習宗旨，與大陸士人無甚兩樣，以參加科舉爲唯一職志；以求取功名，是光宗耀祖的事，也是立足鄉里的護身符。

有清一朝，臺灣的吏治不甚清明，社會秩序混亂，林維朝曾因豪族相欺，身懷刀鎗欲與其理論，卻遭父親勸阻，並勸誡他應當勉勵學業以求功名，得志時再與之較量也不遲。可見功名確實是士人保持身家安全的光環。

臺灣的科舉考試，並不因位處邊陲而潦草從事，光緒十三年（1887），林維朝參加科考的主考官是兵備道兼提督學政

---

3 楊棟樑，嘉義縣新港人，清光緒年間秀才，新港著名塾師，教過林維朝、林旭初、林煌策等秀才。乙未割臺，楊棟樑挈妻子胡氏嬌與三子乘船內渡回福建漳州老家。光緒二十三年（1897）九月，四男在大陸出生。光緒二十四年（1898），楊棟樑因重病逝世於漳州。光緒二十五年（1899），47歲的胡氏嬌帶著四子萬般艱難乘船回故鄉新港。【胡氏嬌全戶戶籍謄本；陳素雲於 2006 年 7 月 20 日專訪楊棟樑曾孫楊朝陽之談話紀錄】。

4 林如璋，嘉義人，光緒十一年（1885）貢生。設館授徒，及門多秀才。【參閱賴子清，〈嘉義科甲選士錄〉，《嘉義文獻》創刊號（1961 年 10 月），頁 65，林如璋條】。

5 林維朝，《勞生略歷》，同治十三年（1874）至光緒十二年（1886）記事。陳素雲主編，《林維朝詩文集．勞生略歷》，頁 2-10。

唐景崧[6]，考題包括兩篇文、一首詩，並經過二次覆試，考取時往道署簪花、披紅、拜謝主考官選取之恩，唐公乃率諸生參拜孔廟，過後並拜謁縣學老師，儀式相當隆重。當林維朝頂著「新科秀才」頭銜返鄉時，地方父老以鼓樂數十陣迎接，榮耀至極。

考取秀才的林維朝原擬繼續努力，遠至大陸參加科舉考試，然而地方不靖，土匪橫行，豪強欺壓百姓，光緒十八年（1892），嘉義知縣鄧嘉縝[7]委以團防事宜；光緒二十年（1894）又被推薦爲打猫西堡團練分局長，寄予地方防務重任。當時官方的力量不足以保護地方，仍須靠地方耆董合力支援。因事務繁忙，拖延了他進京趕考的計劃。

然而參加科考的念頭，仍然未消滅，閒暇時他仍作制藝及八股文。其師愛才心切，每每斥其「好作勢豪，不事舉業以博取功名」[8]，維朝當時心下頗有效法班超投筆從戎的志向，不願整日尋章摘句一輩子做個腐儒，但不敢向老師啓齒。而科舉考試對士人的束制是根深柢固的，光緒二十年（1894）

6 唐景崧（1838-1924），字維卿，廣西灌陽人，同治四年（1865）進士。光緒十七年（1891）任臺灣布政使，光緒二十年（1894）九月任臺灣巡撫。1895 年 5 月臺灣民主國成立，被推爲總統，六月四日逃回廈門。著有《請纓日記》。

7 鄧嘉縝，字季垂，安徽（一作江蘇江寧）人。光緒元年（1875）舉人。時任嘉義知縣。【參閱鄭喜夫纂輯，《臺灣地理及歷史》（臺中：臺灣省文獻委員會，1980 年），卷九，官師志，第一冊，文職表，及許雪姬總策畫，《臺灣歷史辭典（附錄）》，頁 131】。

8 林維朝，《勞生略歷》，光緒十九年紀事，陳素雲主編，《林維朝詩文集・勞生略歷》，頁 46。

四月，在殄滅縱橫新港、北港地區，連官兵都束手無策的大盜黃矮後，林維朝力促交辦團練分局事務，專心攻讀詩文，有意參加秋闈。

該年五月，強盜放火搶劫，地方紛亂，嘉義鄧邑主又找上林維朝，並告以「君子在一鄉則一鄉重，況父母之邦，血跡所在，萬不可聽其敗壞而不出爲照顧。」[9]爲了綏靖地方，林維朝又投入剿匪行列。

即使是日清戰役（甲午戰爭）進入激戰時刻，林維朝仍不顧危險，擬遠赴大陸趕考。光緒二十年（1894）七月，在地方較綏靖後，林維朝又摒擋一切，欲趕到臺南搭船內渡。然公務倥傯，行程一再延緩，竟誤了科舉船期，只好怏然而歸。

可見清廷以科舉功名籠絡士子，而臺灣士子也因致力於科舉考試，而大量浸淫中國傳統書籍，中華文化與漢族思維，不知不覺中淪肌浹髓入臺灣讀書人的腦海中，這也是乙未割臺後許多傳統文人西渡大陸的主因之一。

第二節　唐山過臺灣的原鄉情結

林維朝故居坐落於嘉義縣新港鄉中正路八七、八九號。

9 林維朝，《勞生略歷》，光緒二十年紀事，陳素雲主編，《林維朝詩文集．勞生略歷》，頁 72。

林維朝的曾祖父林羨於乾隆年間，從祖籍地東山（今漳州市龍海縣角美鎮東山村劉宅社），渡過凶險的臺灣海峽，歷經百般艱辛來到臺灣，移住於笨港板頭厝。

清嘉慶年間，接二連三的烏水氾濫，笨港及笨港街加速沒落，媽祖廟也被洪水沖毀。林維朝的祖父林老成隨著這波移民潮，向東南三公里地勢較高的蔴園寮（即今新港街面）遷移，在現址重建新家園。

祖先無視於險惡的海上波濤，橫渡烏水溝，篳路藍縷開拓古笨港的墾殖史，在林維朝家族代代相傳。林維朝故居大廳的門聯，與落成於昭和二年（1927）的林家宗祠之楹聯：「東山衍派源流遠，南笨分支世澤長」皆出自林維朝的手筆。充分顯露出林維朝濃厚的鄉土情懷與強烈的宗族意識；更寄寓著對子孫的殷殷囑咐與無盡的教誨，這也是後來林維朝的曾孫林懷民創作「薪傳」舞碼的活泉源。

當陳達彈奏著月琴，闇啞蒼涼的嗓音響起：「思啊想啊起……／祖先鹹心過臺灣／不知臺灣生作什款？／思想起……海水絕深反成黑，／在海山浮漂心艱苦。／思想起……／黑水該過幾層啊，心該定／遇到颱風攪大浪，／有的抬頭看天頂，／有的啊，心想那神明。／思想起……／神明保佑祖先來，／海底千萬不要做風颱。／臺灣後來好所在，／經過三百年後人人知。」臺下屏息無聲，觀眾的心緊緊揪結著。落幕時，許多人激動逾常，熱淚盈眶，因爲「薪傳」說的正是漢族移民的一頁血淚史，也是許多臺灣人的共同記憶。

民國六十七年（1978）十二月十六日，卡特宣布臺美斷交之夜，雲門舞集在嘉義體育館，爲六千觀眾首演「薪傳」，雲門特別選在嘉義作爲首演的地點，藉以向建立笨港十寨的先民致敬。林懷民以父執輩口耳相傳的先民墾殖傳說，編成令人震撼的舞作「薪傳」。

林維朝曾祖父林羨在乾隆年間，隨著中國大陸五社林族人集體大遷徙移居臺灣。五社林的世系自林璧晃移居東山算起。東山十社分頂、下各五社，新港「五社林」則由下五社而來，分指春大社（按：林維朝一族）、梅二社、蘭三社、菊四社、竹五社。「社」可能意指在中國的原鄉共祖但不同的聚居部落的林姓後人。由於不同社的林姓先後遷移至臺且相互扶持，因此同唐山祖的五社人共同組織一個宗親會，人稱爲五社林，各社遷移至當時的蔴園寮（今新港街面）時，有同社聚居的情形。

五社林後代唐山過臺灣，並非就此如斷根的孤蓬般，從此根枝分離，不再有任何瓜葛，面對險惡的海上波濤，欲與祖籍地的鄉親保持連繫確實相當困難。然而血濃於水的鄉土情懷仍隱隱召喚，牽繫著兩岸的五社林子民，以林維朝一系爲例，至少有兩次形之於文字記載的尋根之旅。一次發生在清光緒二十一年（1895）乙未割臺時，林維朝西渡大陸，投奔在泗洲的妹婿王子修，在安頓好家眷後，九月下旬（按：

舊曆），乃與何子言[10]商量，各回漳州謁祖並探族親。子言的祖籍平和縣，維朝的祖籍龍溪縣，並邀汭洲王宋同行。先到廈門找王子玉，由該地雇舟到石碼。當時嘉義內渡諸友多居是處，乃歷訪王均元[11]、黃拱垣、陳嗣昌、張覲卿、劉和等，相與談論滄桑，共灑一掬他鄉之淚。

數天後，又雇一小船，邀劉和一行四人，同往祖籍東山（按：今福建省漳州市龍海縣角尾鎮東山村），到祖祠附近訪問劉宅（按：原籍爲漳州府龍溪縣內山尾劉宅社）狀況。

社內族人都來問訊，相與敘談一整天，當夜住宿在族親吾乾兄之家，然後再到祖籍地東山。維朝乃擇日謁祭大宗祠，以及竹房小宗祠，並以祭品宴請本房及各房家長，共敘族親之誼，事訖，乃歸。而族親甕兄、吾乾兄亦一路送維朝到廈門。

而血濃於水的同宗情誼，也聯繫著兩岸的五社林子弟，大陸的五社林後代亦曾來臺作探親之旅。光復後，竹房二十二世的林文謀在民國三十七年（1948）八月三十一日寄了一

---

10 何子言，即何振猷，字子言，今嘉義縣民雄鄉田中央人。卅五歲時獲邑庠生。設館授徒，學德兼優。明治卅一年（1898）11 月，任打猫辨（今作「辦」）務署參事。明治卅二年（1899）二月授佩紳章。不久以病卒，享年僅四十七。其子何茂取爲嘉義縣第五屆縣長。【參閱賴子清，〈嘉義科甲選士錄〉，《嘉義文獻》創刊號（嘉義縣政府，1961 年 10 月），頁 85，及《臺灣列紳傳》，頁 282-283，何振猷條】。

11 王均元，嘉義縣民雄南路厝庄人，清同治十二年（1873）舉人第三十七名。【參閱賴子清，〈嘉義科甲選士錄〉，《嘉義文獻》創刊號，頁 52-53，王均元條】。

幀寫真給臺灣春大社二十二世的林蘭芽，爲了這張寫真，林文謀慎重地穿了一件長大衣，在東山林家祖祠前拍照，然而略帶土氣的長褲及布鞋，卻洩露了他莊稼人的底。林文謀到了臺灣，受到了林蘭芽的熱烈歡迎，招待他遊覽烏山頭等名勝；也帶他回新港林家宗祠，與五社林宗親們敍舊並拍照留念。[12]地理的隔閡，並未阻斷五社林後代的同宗情誼。

無獨有偶的，一百年之後，林維朝的孫子林松茂（即開泰四子，林金生之弟），看了林維朝所著的《勞生略歷》，當他翻閱到 1895 年父親林開泰剛出生那一年，日軍侵臺，舉家避難逃回大陸的記載，真是如獲至寶。民國八十一年（1992），他到北京會見堂姐林明美（維朝第三子庭燎之次女），託其調查，透過漳州市臺胞尋訪，確定現址已改爲「漳州市龍海縣角美鎮東山村劉宅社」。既知確實地點，他乃起意探訪尋根。

民國八十三年（1994）五月，林松茂和堂弟煥然（即林典之子）經香港轉機，飛抵廈門高崎機場，漳州市陳先生派兩位秘書來接機，包部計程車由機場直駛漳州市，是夜住宿漳州觀光飯店。翌晨八時由臺胞陳先生陪同，雇車原路赴東山。車程約一小時，未到角美鎮前右轉入小路一公里即東山村。四面良田，約如新港中庄村。原來打算不驚動族親，惟到達村黨部時已有五、六位族親在等候，其中有二十二世、

12 參見陳素雲，〈追溯一頁失落的歷史 — 新港五社林的故事〉，嘉義縣新港鄉：《新港文教基金會會訊》第八一期（1999 年 9 月），頁 4-14。

二十四世（林松茂屬二十三世）。

小村子裡有一間大祖廟，四間小祖廟（即東山始祖璧晃公下四大房），尚有規模相當的舊屋數棟。該村人均知林蘭芽（維朝長子，曾任嘉南水利會會長）及林金生（維朝之孫、開泰長子，曾任交通部長、內政部長）的名字。小巷內一家老媼說她的老公光復後曾來臺住過林蘭芽家二十天。林松茂此次探訪，才了解數算二十幾世係自璧晃公移居東山算起。可惜「五社林」祖籍地劉宅社已開發爲東山工業區，劉宅人口只剩二十多戶。[13]

林松茂的尋根溯源之旅比起祖父林維朝做得更徹底，他不僅到東山故居，更遠至林姓開基地。民國八十六年（1997）四月中旬，他由臺北經香港換機飛到鄭州，自鄭州過黃河大橋，再往西北方過「牧野大橋」，距鄭州一百公里衛輝市郊去參拜林姓始祖比干公的墓廟。[14]林松茂身處林姓太祖比干墓廟前，頓覺一股歷史感，油然而生，思古之悠情蓊鬱澎湃不能自已。足見唐山過臺灣的遠古記憶，在林維朝家族代代相傳，並未因時光的流逝而淡忘、磨滅。

---

13 林松茂，〈新港五社林源頭〉，嘉義縣新港鄉：《新港文教基金會會訊》第五五期（1997 年 7 月），頁 17。

14 林松茂，〈探訪河洛．牧野祭比干〉，嘉義縣新港鄉：《新港文教基金會會訊》第五六期（1997 年 8 月），頁 10。

第三章　動盪世局下的困頓煎熬與生命抉擇

第一節　臺灣防衛系統瓦解後西渡大陸

甲午開戰後，清廷下令臺灣開辦民防。在林維朝的自傳《勞生略歷》中曾針對此事作詳細的記載，是研究臺灣史及地方史彌足珍貴的一段史料：「六月（按：農曆）間，以日清戰役，上憲命各地方辦理鄉團，欲以禦外侮而靖內難。鄧邑主旋下札諭，任命余爲打猫西堡團練分局長，辦理一堡團練事宜。余以素蒙垂青相待，且值地方有事之秋，不敢辭卻。受命之下，旋即開局辦理，所轄之庄即：新港街、海豐、后底湖、大潭、古民、中庄、后庄、崙仔、埤仔頭、柴林腳、田心仔、坂頭厝、灣仔內、頂菜園、下菜園、埤頭，並將牛稠溪堡之咬狗竹、菜公厝、潭仔墘、大客庄、大竹圍、內斗仔聯絡在內，計大小二十二庄。」[1]轄防的涵蓋範圍，包括今

1 林維朝，《勞生略歷》，光緒二十年記事，陳素雲主編，《林維朝詩文集．勞生略歷》，頁 74。

之嘉義縣新港鄉大部分地區，溪口鄉以及雲林縣北港鎮之部分地區。

清廷與一向被視爲「蕞爾小國」的日本一交鋒，竟節節敗退，官方控制力愈形削弱，臺灣島內土匪更加猖獗。防衛事務必須靠地方自發的防衛力量，在官方毫無人力與經費的奧援下，已難以撐持大廈之將頹矣！

清廷兵敗如山倒，光緒二十一年（1895）農曆三月，澎湖失守，「敗訊一傳，人心滔滔，城內富民多有收拾細軟財物，默移鄉下寄托親友者。時土匪益復猖獗，搶劫之事日有所聞。」[2]新港街一夜被劫兩家，幸而民眾救護甚急，該匪亦急速退走，雖財物未被搶去，然人心已大恐。

危機一步步逼近，四月十七日簽署馬關條約，大清帝國割讓臺灣給日本，五月八日正式換文。五月廿三日臺灣官民發表「自主宣言」；五月廿五日正式成立「臺灣民主國」。然而由於清廷的退縮與掣肘，清朝官吏紛紛奉旨內渡。六月四日，唐景崧亦乘夜攜眷遠走廈門，臺灣民主國瞬間瓦解。在《勞生略歷》裡對這一段臺灣極度動盪不安的局勢有很詳盡的描寫：

> 四月（按：農曆），割台事定，有旨召文武各官內渡，時南北紳商以台中進士邱（按：丘）逢甲為首，懇請

2 林維朝，《勞生略歷》，光緒二十一年記事，陳素雲主編，《林維朝詩文集‧勞生略歷》，頁 84。

> 唐撫（按：唐景崧）、劉帥（按：劉永福）留台主持台事，變更民主國，而鄧邑主同孫參府遵旨內渡，城內紳商留之不可，地方事愈汲汲矣！
>
> 五月，基隆陷落，台北撫院中又起兵變，唐撫乃乘夜挈眷，駕英國輪船走廈，眾軍無主，一時譁亂，搶劫庫銀，互相殺戮，紛紛逃竄，被人民戕殺許多，能得逃回內地或奔到台南者寥寥無幾。由是，匪氛日熾，日搶夜劫，雞犬不寧矣！……時新港縣丞孫公亦亟亟欲內渡，余乃遣練勇數名護送其到東石。[3]

在唐景崧及清朝官吏紛紛內渡後，掌握兵權的丘逢甲[4]、林朝棟[5]隨後也倉皇走避中國大陸，清朝的殘存勢力不待外力

---

3 林維朝，《勞生略歷》，光緒二十一年記事，陳素雲主編，《林維朝詩文集．勞生略歷》，頁 84-86。

4 丘逢甲（1864-1912），又名倉海，字仙根，臺中人。1889 年中進士，欽點工部虞衡司主事，未幾告鄉，主講臺南崇文書院兼嘉義羅山書院、臺灣府（今臺中）衡文書院。甲午之役，奉旨督辦團練，旋改稱義軍，自任全臺義軍統領。日軍登陸，舉家回祖籍廣東鎮平。擅長詩文，著有《嶺雲海日樓詩鈔》。【參閱許雪姬總策劃，《臺灣歷史辭典》，頁 221-222，許雪姬撰，丘逢甲條】。

5 林朝棟（1851-1904），臺中霧峰人，為福建提督林文察之子。1884 年清法戰爭，率領鄉勇協助劉銘傳禦敵，戰於基隆附近一帶。1885 年臺灣建省，劉銘傳任臺灣巡撫，將林朝棟倚為左右手，除委託其經辦處理中路營務，更給予經營樟腦特權。開設撫墾局時，再被拔擢為局長，負責開拓荒地、招撫臺灣原住民。清廷命其統領「棟軍」兼全臺營務處，後來討伐變亂所用之兵力，包括 1888 年施九緞之變，多是倚靠棟軍，因此清廷政府破格嘉許，成為道員賞穿「黃馬褂」的第一人。1895 年林氏率棟軍在彰化抵抗日軍，但拒絕應援北臺，失利後內渡中國，成為兩江總督劉坤一的麾下，率棟軍戍守海州。晚年在廈門經營樟腦生意，後歿於上海。【參閱許雪姬總策劃，《臺灣歷史辭典》，頁 487-488，陳佳宏撰，林朝棟條】。

痛擊已自行解體。此時，臺灣島民更深刻地感到須以自己的力量來保衛鄉土。許多地方愈加勵行聯庄革匪之策，聯合數個村庄共同守禦，極力維持管內之安靖。

相對於唐景崧在六月四日潛逃，黑旗軍將領劉永福[6]則一直待到日軍進城前兩天的十月十九日才逃離臺灣。因此有人認爲唐景崧怯弱，而劉永福則是抗戰到最後一刻。然而透過林維朝的敘述，可知臺灣攻防戰中的劉永福軍隊亦顯現缺乏戰略，群龍無首的窘境。劉永福部下在攻防戰中，組織鬆散，烏合之眾不成氣候；又遇無知愚民沿途截殺，折損兵力甚鉅。對於動盪時局下，民眾相互疑猜，互相屠殺的慘狀，林維朝感嘆良深。

光緒二十一年，農曆七月十五日，新港街人廖尤自大莆林（按：嘉義縣大林鎮）奔回，云：日軍已到大莆林。大莆林是個重要的作戰點，臺南的黑旗軍劉永福曾加派一營兵勇欲往此地與日軍交戰，然被沿途庄民誤以爲叛勇而中途截殺，受創甚鉅。八月十七日（按：國曆十月五日），聞西螺陷落之訊，林維朝乃於翌早遣人往土庫查訪，午後歸來，云：土庫街已陷，延街發火。又聽聞嘉義縣城已於八月二十日

6 劉永福（1837-1917），廣東欽州人。光緒二十年（1894）甲午戰爭期間，奉命帶兵來臺。臺灣民主國成立後，擔任民主國大將軍，駐紮臺南府城。唐景崧內渡後，他曾在臺南再成立一個臺灣民主國。當日軍逼近臺南府城時，劉永福潛逃安平，登上商船逃回大陸。【參閱遠流台灣館編著，《台灣史小事典》（臺北：遠流出版公司，2000 年），頁 99，劉永福條】。

（按：農曆）早午前陷落。[7]林維朝知時勢危急，遂決意內渡，於八月廿三日（按：國曆十月十一日）西渡大陸。[8]

劉永福的黑旗軍主力防衛的嘉義城，雖防禦森嚴仍被日方攻下，大勢已去矣！這也是林維朝終於決定西渡大陸的考量。當船緩緩駛離臺灣，淚眼滂沱中，回眸遠眺家鄉，東石港的方向一片火花，「蓋是時海軍方從東石港登陸也」。[9]此誠危急存亡之秋，因為日方的近衛師團於十月七日攻下土庫、他里霧（按：今雲林縣斗南鎮）及雲林等地；八日已推進到打猫（按：民雄鄉）等地；又於十月九日佔領嘉義。[10]混成第四旅團也按作戰計劃於十月十日下午三時開始登陸，再以小艇划槳三哩多登陸布袋港，登陸地遭縱火，全村已成灰燼。[11]在日方海陸進攻重兵壓境的包抄下，臺灣島民已無所遁逃於日軍的掌控。

---

7 據賴世觀的〈誌亂歌〉：「八月之間乙未年，陷城廿一巳時天，長途到處烽烟起，沿海皆驚泣涕漣，軍隊凶殘兵數萬，嘶聲雜沓馬三千，羅山此劫人人受，景況於今我亦憐。」詩中言及嘉義城陷爲八月二十一日早晨，賴世觀爲嘉義城內人，故應以其言爲是。【參閱賴子清，〈嘉義縣史蹟及詠史詩〉，《嘉義文獻》第十八期（1988 年 6 月），頁 104】。

8 《臺灣列紳傳》，頁 247-248，林維朝條：「光緒乙未歲全臺割讓之報至。人心激昂。到處思亂。君素明理義。且敏于見機。從容撫慰壯丁。諭以客氣不協于道。嚴組地方。防禦搶奪。簞食壺漿。以驩迓　皇師先鋒。」然觀其完成於日治時期的自傳《勞生略歷》，未曾有隻字片語提及歡迎日軍之事；且其西渡大陸後不久，返臺籌措資金，旋即遭日警通緝，險遭不測，可見林維朝並未「簞食壺漿。以驩迓　皇師先鋒。」

9 《勞生略歷》，光緒二十一年紀事，陳素雲主編，《林維朝詩文集．勞生略歷》，頁 96。

10 許佩賢譯，《攻臺見聞 — 風俗畫報．臺灣征討圖繪》（臺北：遠流出版公司，1995 年），頁 328。

11 （日）西山少佐於布袋嘴（按：嘉義縣布袋鎮）所發的「布袋嘴登陸消息」，《攻臺見聞 — 風俗畫報．臺灣征討圖繪》，頁 339。

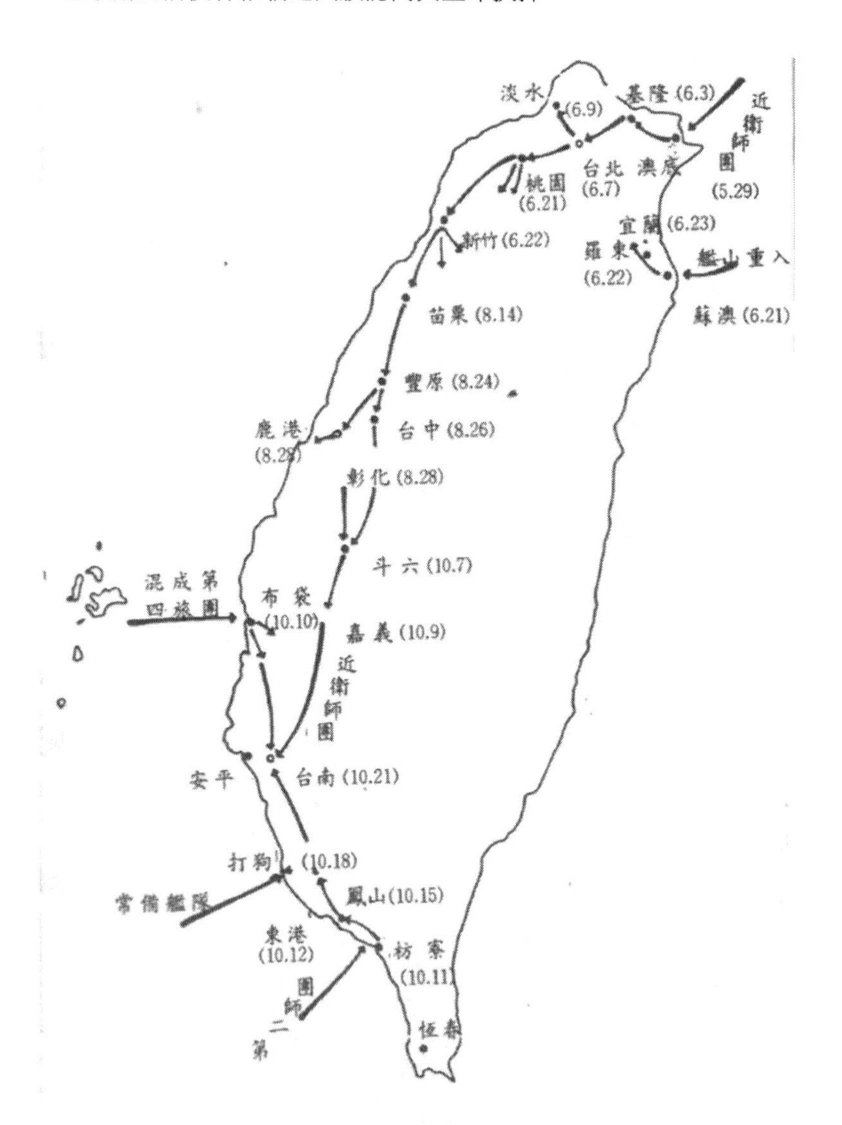

1895 年日軍攻臺路線圖及臺灣各地失陷日期表

資料來源：引自吳文星等編著，《臺灣開發史》（臺北縣蘆洲市：國立空中大學，1996 年），頁 273。

第二節　遠託異鄉的困頓與煎熬

光緒廿一年（1895）八月廿七日（按：國曆十月十五日），林維朝一家人在泉州之圍頭登陸，雇轎子到洒洲鄉二妹婿王子修家住宿。隔天何子言一家人也從圍頭上岸，來洒聚會；廿九日，好友莊文君亦到洒相聚，同寄宿在子修家中。好友相聚，均恍若隔世，敘談內渡滄桑，何、莊兩家人欲到海邊搭船，均有台仔挖（按：今雲林縣口湖鄉）附近鄉民糾眾列械欲來海面劫搶，幸有台仔挖宗親以同宗之誼，乘夜偷載下船，方倖免於難。眾人談及險遭不測之困境，均感慨良深。

數日後，二妹婿借其堂兄王子覲之家屋，讓林維朝與何子言之家小居住。家中應用器具什物，暨由子修置辦齊備。而居停主人王子覲練達老成，磊落慷慨，待林維朝等人禮意優渥，所有應須之物時致餽贈；且其人學問淵博，與林維朝晨夕過從，談論經史，甚相投契，患難中得此良友，頗堪欣慰。

賓主之間除了有姻親之誼，更因相同的文化背景而更加投契，除了相互切磋外，更時常以詩詞相互唱答，如〈賦呈洒洲王子覲兄〉：「托足他鄉昔所悲，相逢萍水孰青垂；感君雲誼高千尺，許我禽巢借一枝。濟困扶危懷古道，解衣推食繫人思；自慚報德無瓊玖，只好逢人說項斯。」[12]由這首詩，可窺其友誼之深，及林維朝對王子覲患難中伸出援手的感念之殷。此外，林維朝亦與子覲之西席陳裕賢相互唱和，結爲莫逆之交。

是年十月十九日，劉永福逃離臺灣；十月二十一日，日軍攻占臺南，臺灣民主國亡。消息傳來，林維朝等內渡諸人均不勝欷歔，在他的自傳《勞生略歷》中曾談到當時的心境：「九月（按：農曆），又接臺南陷落之報，翹首東望，不勝故國之感，然盡日唯與子言君、子修、子覲兄諸人聚首閑談，或到海邊觀覽已耳。」[13]唯有鎮日與好友促膝縱談，暫時拋下百結愁腸；或到海邊遠眺故鄉，才能消解心中之惆悵。

當時許多臺灣的重要人物均西渡大陸，如進士許南英[14]、施士洁[15]、汪春源[16]，北臺舉人潘成清等；又如林朝棟、

---

12 林維朝，〈賦呈泗洲王子覲兄〉，陳素雲主編，《林維朝詩文集．初轉集》，頁 140。

13 《勞生略歷》，光緒二十一年記事，陳素雲主編，《林維朝詩文集．勞生略歷》，頁 98。

14 許南英（1855-1917），號蘊白、允白，又號窺園主人等。光緒五年（1879）入縣學，光緒十一年（1885）中舉人，光緒十六年（1890）中進士。後選擇返鄉任職，光緒二十年（1894）應唐景崧之聘協修《臺灣通志》。乙未之役，率兵抗日，最終無奈解甲內渡。民國成立後，曾回臺省親。大正四年（1915）受林爾嘉之聘，在菽莊吟社主持社課。隔年至蘇門答臘棉蘭爲華僑市長張鴻南編輯服官事略，事成後却不幸病逝該地。著名文學作家許地山乃其四子。【參閱許雪姬總策畫，《臺灣歷史辭典》，頁 807，黃美娥撰，許南英條】。

15 施士洁（1855-1922），字澐舫，清臺南安平人。自幼聰穎，1876 年登鄉薦；1877 年聯捷禮闈，成二甲進士。歸里後，每與諸名士唱和。與臺灣道唐景崧爲文字交；又與臺南府知府羅大佑、臺中丘逢甲等日夕酬唱，

丘逢甲等手掌兵權者，即便是當時號稱臺灣第一家族板橋林家的首腦人物林維源[17]，亦舉家遷居大陸。新港地區西渡大陸者除了林維朝外，還有：林維朝的摯友林旭初秀才[18]、塾

有《四進士同詠集》。景崧擢臺灣巡撫，士浩應聘入幕，先後掌教白沙、崇文、海東三書院，亟力栽培後進。乙未割臺，士浩携眷西渡，歸泉州故里。後參加商會，主辦貢燕業務，時往來於福州、廈門間。1911 年出任同安縣馬巷廳長。1917 年應聘往福州，入閩省修志局。著有《後蘇龕合集》、《喆園吟草》等。【參閱許雪姬總策劃，《臺灣歷史辭典》，頁 572，徐慧鈺撰，施士洁條】。

16 汪春源（1869-1923），字杏泉，號少羲，晚號柳塘，臺南人。汪氏是唐景崧首渡臺灣主持丙戌（1886）歲試時選拔的士子之一。與丘逢甲等讀書海東書院，進士施士洁擔任主講。1895 年在京應禮部試，因馬關條約簽訂一事，與臺籍舉人黃宗鼎、羅秀惠及戶部主事葉題雁、翰林院庶吉士李清琦向都察院上書抗議，並參加康有爲發起之「公車上書」。日人治臺後，舉家內渡。1903 年考取進士，是臺灣歷史上最後一位進士。在臺時，曾入臺南崇正社、斐亭吟社及臺北牡丹詩社。內渡後，則入菽莊吟社爲社友。著有《柳塘詩文集》，惜今未見。【參閱許雪姬總策劃，《臺灣歷史辭典》，頁 405，黃美娥撰，汪春源條】。

17 林維源（1840-1905），臺北板橋人。幼時與兄維讓同在廈門受教於陳南金門下。1862 年返臺，並與維讓組林本源記。1863 年，因平戴潮春事件有功，被授與三品銜。1876 年代表林家捐獻 50 萬元，響應福建巡撫丁日昌設立海防，得內閣中書官銜。1879 年奉命督造臺北城小南門興建，獲授四品卿銜。1884 年因清法戰爭爆發，避居廈門。次年因臺灣巡撫劉銘傳力勸返臺，並捐助清法戰爭善後經費 50 萬兩，被授與內閣侍讀，後陞爲太常寺少卿，並授命爲團練大臣。1886 年出任幫辦墾務大臣，及臺灣鐵路協辦大臣，並協助劉銘傳清丈土地，於 1890 因功陞至太僕寺少卿。1887 年創立建昌公司，與大稻埕殷商李春生於今臺北市貴德街合建洋樓，出租給洋商。1894 年清日甲午戰爭爆發，任全臺團房大臣督辦。翌年清廷戰敗，簽訂馬關條約，臺灣割讓給日本，5 月 5 日臺灣自組臺灣民主國抗日，被舉爲民主國議會議長，不就，5 月 13 日率家族避走廈門。日本統治臺灣後，臺灣民政長官後藤新平曾親赴廈門力勸回臺，不果。1905 年清廷授與侍郎頭銜。同年 6 月 16 日去世。【參閱許雪姬總策劃，《臺灣歷史辭典》，頁 495，莊天賜撰，林維源條】。

18 林旭初，字天樞，嘉義縣新港人。清咸豐八年（1858）七月二十五日出生，光緒五年（1879）曾在雲林縣土庫教館。光緒十二年（1886）在雲林縣麥寮教館；該年取進臺南府學第十六名秀才。曾任新港登雲書院末

師楊楝樑秀才，以及另一位族親林煌策[19]等。

像板橋林維源這類原已在大陸置大量資產並有事業者，舉家遷移並不會立即面臨經濟上的困窘。原本家中富裕者如新港秀才林煌策，攜帶鉅款至大陸[20]，亦不虞捉襟見肘；又如林維朝的好友住雙溪口（按：今之嘉義縣溪口鄉）的張進文，更趁機遍遊大陸各省。[21]然而對於經濟並不寬裕的林維朝，則馬上面臨生活上的難題。為了籌措資金，林維朝兩度返臺，幾乎是九死一生。

任山長，與林維朝相交甚篤。中日馬關條約簽訂後，渡海到福建漳州祖籍居住，旋歸返臺灣嘉義新港。其曾孫成功大學歷史系副教授林德政，曾為新港媽祖廟主修《新港奉天宮志》（嘉義縣新港鄉：財團法人新港奉天宮董事會，1993 年）。【參閱林旭初之〈履歷書〉，新港公學校，《舊職員履歷書綴》，及林德政，〈登雲書院末代山長林旭初的一生〉（未出版）】。

19 林煌策，新港五社林族人，林煌章之么弟，同治元年（1862）出生。從師秀才楊楝樑、林樹聲，及貢生林旋乾、林如璋等。光緒九年（1883）臺南府學第十七名秀才。明治卅一年（1898）擔任打猫辦務署參事並獲頒臺灣紳章；卅四年（1901）任新港公學校教師；明治卅七年（1904）任月眉潭區長。家世營商，至煌策更擴張田園，經營數處糖廍，為新港巨富。其番婆庄（今新港鄉安和村）之糖廍，是新港地區最早採用柴油引擎機械榨糖機的改良糖廍。惜於明治卅九年（1906）一月以病卒，享年四十五。【參閱林煌策之〈履歷書〉，新港公學校，《舊職員履歷書綴》；《臺灣列紳傳》，頁 282，林煌策條；及廖嘉展，《老鎮新生》（臺北：遠流出版公司，1995 年），頁 41-42】。

20 林煌策之孫林英敏曾談及其祖父林煌策內渡時，命家丁挑一擔白銀，臉塗泥巴偽裝成苦力狀。（陳素雲於 1996 年 8 月 1 日採訪林英敏先生之談話紀錄）。

21 張進文，溪口人，清光緒四年（1878）出生。明治二十九年（1896），隨父張演澄赴廣東並遊歷大陸各處。歸臺後經營糖廍及農、商業。明治四十一年（1908），襲父職任雙溪口區庄長，明治四十三年（1910）改任區長。嗣後歷任嘉義銀行理事、雙溪口信用組合長等。大正七年（1918）授佩紳章。【參閱邱麟翔，〈嘉義縣鄉賢錄〉，《嘉義文獻》第十四期（1983 年 7 月），頁 50，張進文條，及《臺灣列紳傳》，頁 281，張演澄條】。

中國大陸自一八九四年起即爆發本土性鼠疫，蔓延東南沿海，許多西渡大陸的臺灣島民均趕上這場大劫難，死於這場災疫。老母、妻子接連染上鼠疫，林維朝遂決計搬往東山祖籍，以避災難。

光緒二十二年（1896）深秋，林維朝拖著孱弱病軀，挈著老弱家眷，回到祖籍地東山，當踏上劉宅社故里時，感慨萬千，寫下了〈劉宅社感懷〉:「歷過春夏又殘秋，景況淒涼感我憂；阮住異鄉爲異客，那堪多病更多愁。功名大抵今生誤，事業殊難後日籌；悵望故都雲漠漠，空山寂處涕雙流。」22。

一家人在東山定居了下來，經濟的困窘與疾病的折磨，消融了林維朝的豪情壯志，他變得敏感而脆弱；而食指浩繁也讓他難以撐持，兼上疾病纏身更是令林維朝意志低沉。而想藉由科舉獲取功名，如鵬搏萬里程的鷹揚意志，也逐漸消失殆盡。思鄉情懷時時抽痛他的心緒，呼喚他快快歸去。百感愁腸，他寫下了〈東山旅次〉:「茫茫故國白雲橫，王粲登樓百感生；未接雙魚傳好信，徒聞啼雁動悲情。客心撩亂飛蓬轉，鄉夢參差夜雨驚；嘆我無方能縮地，未能瞬息到東瀛。」23。

林維朝的母親江氏自從西渡大陸，在洒洲即因思鄉心

22 林維朝,〈劉宅社感懷〉,陳素雲主編,《林維朝詩文集·初囀集》,頁 140-142。
23 林維朝,〈東山旅次〉,陳素雲主編,《林維朝詩文集．初囀集》,頁 144。

切，時常下淚。維朝二妹及妹婿王子修晨夕問候，終是莫解羈愁。遷居祖籍地之後，更是鬱鬱寡歡，時常暗暗灑淚。兼上病體懨懨，久治不癒，於光緒二十三年（1897）農曆八月十五日中秋節過世。值此佳節，痛失慈母，月圓人未圓，對林維朝的打擊相當大；又念及家中祖產及墳塋無人照顧，在辦完母親的喪事後，是年九月（按：農曆）挈家眷歸鄉。

第三節　異民族統治下尋求身心安頓

日軍領臺之初，採高壓的統治方式，也由於島內政權的趨向穩固，而改採較爲平和的懷柔政策。當時許多西渡大陸的臺灣人亦陸續有人返臺。

明治三十年（1897）五月八日，國籍選定日已屆，須得在臺才得以確保祖產。如板橋林家的大家長林維源雖未曾再回到臺灣，然仍在一八九七年五月八日國籍選定日前，令三房彭壽、二房祖壽回臺，並入日本籍，藉以保護家產。[24]林維朝的摯友林旭初、何子言等亦相繼返臺；秀才林煌策亦於此時回到新港。[25]而秀才楊榱樑，也就是林維朝的塾師，不

24 許雪姬，〈日治時期的板橋林家 — 一個家族與政治的關係〉，張炎憲等主編，《臺灣史論文精選（下）》（臺北：玉山社，1996 年），頁 88。

25 陳素雲於 1994 年 8 月 7 日專訪林煌策之孫林英敏之談話紀錄。

幸染疫客死異鄉，其妻則帶著數名幼兒，萬般艱難地回歸故里。[26]當再踏上朝思暮想的故土時，林維朝一家人涕淚縱橫，林維朝的〈歸里〉一詩：「前年航海母同出，今日還鄉母不歸；欲入里門腸幾斷，一家人盡泣沾衣。」[27]，至今讀之，悽惻酸楚之情，仍令人爲之動容。

回到故鄉的林維朝境遇相當困頓，家產被侵漁，兼上親人相繼死亡，均令他陷入愁絕的慘境。剛賦〈風雨思親〉：「數夜風和雨，思親欲斷腸；欲眠眠不得，伏枕淚汪洋。」[28]接著又寫〈悼亡〉詩：

如卿婦德足稱賢，一病胡為遽夭年；
壽止卅春悲薄命，來方八載嘆慳緣。
傷心奩具今空在，觸目孩提倍慘然；
潘岳悼亡還到我，愁腸九轉淚痕鮮。

回首奔波內地時，相從患難劇淒其；
祇期此後同安樂，不道今朝永別離。
我值終天方抱痛，卿歸黃土更增悲；
纏綿無限相思苦，泉下茫茫知未知。[29]

元配洪氏在大陸染疫後，原本身體已相當孱弱，再加上

26 陳素雲於 2003 年 10 月 30 日專訪楊棟樑曾孫楊朝陽之談話紀錄。
27 林維朝，〈歸里〉，陳素雲主編，《林維朝詩文集．初囀集》，頁 144。
28 林維朝，〈風雨思親〉，陳素雲主編，《林維朝詩文集．初囀集》，頁 144。
29 林維朝，〈悼亡〉，陳素雲主編，《林維朝詩文集．初囀集》，頁 144-146。

不堪長途顛沛勞累，返家後才三個月，於明治三十一年(1898)正月九日（按：農曆）即過世，得年才三十歲。當時的苦況，林維朝有如下之記載：「明治二十八年（1895）改隸之際，挈家內渡，前後三年，困苦萬狀。迨三十年（1897）九月挈眷歸梓，家下財物已被諸雇人攫取一空；且禍不單行，母、妻及妹相繼淪亡，生人之苦，於斯至矣！厥後拮据謀生，再整家門。」[30]

此時林維朝已卅一歲了，頻遭戰亂，歷經滄桑，內心時有蹉跎失落之感；又已閱遍人生變幻，原有意耕讀終其一生，然而卻又慨嘆壯志難酬：

已到人間卅一春，我生堪嘆不逢辰；
頻年潦倒遺初願，半世蹉跎負此身。
伏櫪自然增馬齒，書空枉望攀龍麟；
將來景況知何似，欲問成都賣卜人。〈卅一賤辰誌感〉

茫茫世道嘆懸殊，紫色駸駸竟奪朱；
傖楚得時稱貴客，英雄失路遜愚夫。
歌非白雪和偏寡，曲豈陽春調亦孤；
變幻人情何足問，聊將耕讀自歡娛。　〈感懷〉[31]

---

30 〈財產配與書〉，大正九年(1920)3月6日所立，財產分與人爲林維朝，財產承受人爲林維朝之侄兒林典。

31 林維朝，〈卅一賤辰誌感〉、〈感懷〉，陳素雲主編，《林維朝詩文集・初囀集》，頁148。

對於在異民族統治下如何安頓自己的身心，林維朝有很長的一段時日處於矛盾中，在用世與歸隱之間心靈交戰。他與知己林旭初秀才等人以詩詠懷唱和，相濡以沫。從大陸回臺，白雲蒼狗，世事已變，臺灣已是日本所統治的殖民地，兩位秀才，在一來一往的詩詞中，透露出臺灣脫離中國，改歸日本後，知識份子對歷史巨變的無奈與自我調適：林維朝：「漫說儒爲席上珍，世途今日已更新」，「西川卜筮訪嚴遵，書生事業黃粱夢」，「半生懷抱訴誰人，任他世上滄桑變，結伴桃源往問津」。林旭初：「貂蟬狗尾伏咸起，繡虎龍頭屈莫伸，南海薏珠悲馬援」，「志士閑存白璧身，笑罵由他宜自檢」，「獨鶴閒遊鳥不親，萬古英雄爭片刻」。[32]

而日本統治下，漢學逐漸式微也給他相當大的感觸：「聖賢道統幾經年，炳耀日星今古傳；共說淵源流久後，爭如世界已推遷。異能相尙千端出，正學有誰一綫延；堪痛斯文將墜地，傷心廢讀仲尼編。」[33]對於漢學地位的一落千丈，林維朝感慨萬千，明治三十一年（1898）十月下旬，他受聘至新港公學校教授漢文。

屢思有所作爲，造福鄉民的抱負，時時衝擊著林維朝想耕讀以終的退隱念頭。尤其是看到一些阿諛投機者在改隸亂

32 林維朝，〈同林旭初君聯句〉，陳素雲主編，《林維朝詩文集．初囀集》，頁 152。

33 林維朝，〈讀書有感〉，陳素雲主編，《林維朝詩文集．初囀集》，頁 148。

離之際，仍藉機巴結奉承日本人，並壓榨本島人的醜惡嘴臉，更令他義憤塡膺。他的鯁慨之氣再度激昂，不再與日本政權劃分界限，義不食周粟，他選擇了在日人治下擔任地方行政官員的職務。

而兩代單傳的傳承壓力，亦是他心頭的一大重擔。母、妻及妹相繼辭世，維朝的兩名稚子尙在幼年；從弟阿瑞（其父爲螟蛉子）、從叔母何氏等親族，賴維朝照應，一門弱息，食指浩繁；而資本薄弱，營生困難，縱然想消極地耕讀以終，亦不可得也。重整並振興家門，成了他積極用世的一大鞭策力。

林維朝進入日本政府體系時，也正是鄉梓及家園面臨極大危機及困阨之時。明治三十四、五年（1901、1902），旱魃爲災，民不聊生。不久，爆發了大瘟疫，橫屍曝於野，滿目瘡痍。林維朝也再度遭逢家門大劫：「明治三十七年（1904）三月繼妻病故，從弟瑞及從叔母何亦於是月遘疫偕亡。」[34]繼妻陳氏遺下一子庭燎尙在襁褓；從弟拋下弱子林典年方六歲，孤兒寡母，境遇堪憐，維朝的負荷更加沉重。

禍不單行的則是幾個月後，新港地區又發生大地震，死傷慘重，林維朝不顧自己家屋傾倒，不分晝夜，協同日本警方投入救災行列。林維朝深深了解一件事：唯有積極入世，才能一展抱負，爲民眾謀更多的福利。

34 同註 30。

第四章　臺灣意識之確立

第一節　深耕、關注、守護鄉土

一、維繫宗教小鎮之傳統於不墜

林維朝於明治三十三年（1900）被拔擢爲新港區街庄長。當時日本領臺不久，迭遭戰亂，社會動盪，民生蕭條，由明治三十四年（1901）林維朝所寫的〈役場即事〉可見一斑：「頻向荒園闢草萊，廣求花卉手親栽。」[1]連行政機構均規模未具，足見當時尚處草萊初闢。徐杰夫[2]曾言及林維朝在日治初期對新港鄉政的貢獻：「時百廢待舉，凡交通、教育、

1 林維朝，〈役場即事〉，陳素雲主編，《林維朝詩文集．初囀集》，頁 170。

2 徐杰夫（1871-1959），字念榮，號楸軒，嘉義山仔頂庄人。父德新曾帶勇助平戴潮春之亂，以功欽授六品軍功。徐杰夫乃進士徐德欽之侄，光緒十八年（1892）中秀才，家門頗榮。明治四十一年（1908），任山仔頂區庄長，大正元年（1912）八月獲頒紳章。大正二年（1913）任嘉義廳參事、嘉義區長。大正三年（1914）任臺中中學建設委員之一，並被推戴嘉義銀行（今第一銀行）副頭取（副董事長），大正八年（1919）陞頭取。好詩文，爲羅山吟社社員。民國四十八年（1959）卒，享壽八十八，爲臺灣庠序中人之最後卒者。其長子先燁娶林維朝長女寶釵。【參閱《臺灣列紳傳》，頁 232；賴子清，〈嘉義科甲選士錄〉，《嘉義文獻》創刊號，頁 80；許雪姬總策劃，《臺灣歷史辭典》，頁 642，蔡說麗撰，徐杰夫條】。

產業、行政諸大端，其賴先生之贊襄者不少。」[3]

明治三十七年（1904）十一月六日斗六大地震，嘉義、雲林地區發生芮氏地震規模六點一級的災害性地震。震央所在的嘉義廳新港支廳（按：嘉義縣新港鄉）災情最爲慘重，計有八十五人死亡，二十五人重傷，四十二人輕傷。當時新港街總戶數五百七十八戶，全倒一百零八戶，半倒一百八十一戶，破損九十二戶，全倒、半倒與受損戶達總戶數之六十六%。[4]

經過明治三十七年這場大震後，新港已元氣大傷；然而禍不單行，不到兩年，另一場更大的劫難又接踵而來。明治三十九年（1906）梅山大地震，在嘉義廳打猫支廳（按：嘉義縣民雄鄉）與梅仔坑支廳（按：嘉義縣梅山鄉）附近發生芮氏地震規模七點一級的強烈地震。上次震災尚未完全修復的新港街房屋，更加摧枯拉朽，應聲倒塌。新民路兩側房舍斷壁殘垣，哀鴻遍野；奉天宮媽祖廟的前殿全毀，僅餘神龕及日月門（龍門）仍屹立不倒；原本已岌岌可危的登雲書院更是徹底瓦解。[5]當時震災可說是天搖地動，五公里外的朝天宮亦破裂傾斜。[6]連嘉義孔子廟也遭震毀。身爲庄長的林維

---

3 徐杰夫，〈壽序〉，林維朝編，《壽詩文集附并蒂菊詩》，陳素雲主編，《林維朝詩文集．壽文集》，頁 408。

4 鄭世楠等著，《台灣十大災害地震圖集》（臺北：中華民國交通部中央氣象局暨中央研究院地球科學研究所印行，1999 年），頁 10-26。

5 同上註，頁 36-52。

6 林維朝，〈蔡瑞芳先生墓表〉，《文稿》（手稿本，未出版）。

朝，協助新港警察分署巡查宮本郡太郎投入救災工作，不眠不休，救死扶傷。[7]

這兩次驚心動魄的大地震，對新港居民來說，是鏤骨銘心的傷痛。無數條可貴的生命瞬間殞落；無數的財產損失，帶來的心靈創傷更是久久難以痊癒，他們不禁萌發集體遷徙的念頭。由許多新港耆老均能琅琅上口的一首臺語俗諺，可見當時震災之震懾人心：「二月廿三（按：陰曆）大地震，攏總壓死數百人，大家相招要散港，宮尾大人擋不通。」[8]

許多新港鄉民在兩度浩劫之後，眼見一生心血化爲泡影，均如喪家之犬，惶惶終日，信心盪然無存。林維朝爲了維護新港人的信仰中心不致傾圮，首先捐款並向日本總督府提出申請許可募集寄附金，親自草擬〈重建奉天宮寄附金募集疏〉，向全島人士募款，呼籲重新修復奉天宮。在明治四十年（1907），由林溪和監工，開始重修宮宇，前後歷時十年，直到大正六年（1917），奉天宮才重修完成，嶄新廟貌更勝從前，雕龍畫棟，錯采鏤金。林維朝爲了慶祝奉天宮重修落成的祭典，發出「新港奉天宮落成徵詩啓」，廣邀島內詩人，各揮絢麗的如椽詩筆，描繪奉天宮典麗軒昂的建築之美，一時

7 參見陳素雲，〈看新港百年大「震」撼〉，《新港文教基金會會訊》第八三期（1999年11月），頁4-6。

8 新港耆老鄭朗雲所採集的本地諺語。見其所著的《新港故鄉史》（手稿本，未出版），頁21。而諺語中的宮尾大人是日人宮尾郡太郎，他在明治三十年（1897）六月五日履任，擔任新南港（即今新港）警察分署巡查。

俊彥薈集，林維朝個人即有八首七言律詩[9]，極力贊頌奉天宮的廟貌莊嚴，神靈顯赫。

新港另一處三級古蹟大興宮，在一九〇四、一九〇六年兩次大地震中受損嚴重，亦在林維朝的呼籲下重建。正殿大門的對聯：「保合太和贊育功深參造化，生全有眾回春妙術邁歧黃」，即是他所親撰。

凡此總總都對新港日後發展爲宗教小鎮，做出了極大的貢獻。

二、以禮樂人文移風易俗

林維朝以一介讀書人從政，常懷移風易俗之志。新港有

---

9 林維朝，〈祝新港奉天宮落成式〉八首：「坤儀聖德功同天，香火南津多歷年；赫濯神靈漸及遠，嶄新廟貌勝從前。雕甍畫棟連雲起，錯采鏤金耀日鮮；蹌蹌明禋昭祀典，千秋俎豆慶綿延。」、「羽化湄洲聖蹟傳，笨南供奉戴如天；航琛利濟恩波闊，廟貌重新輪奐妍。畫棟雲連凝瑞靄，旃壇香滿篆祥烟；落成燕賀神庥迓，介福唯期億萬年。」、「笨南靈爽仰明神，海國瀾安利澤均；數載庀材勞改築，百年遺廟慶重新。流丹麗紫輝甍棟，瑞靄祥光映奐輪；諏吉落成修盛典，欣瞻景福降頻頻。」、「奉天宮闕幾滄桑，坤德巍巍遠邇彰；淪落丹青經浩劫，輝煌金碧慶重光。雲移雉尾開宮扇，日照螭頭麗畫堂；心字香燒齊頂禮，神庥迎迓永無疆。」、「珠宮矗立笨南津，兩度紅羊墜劫塵；金布祇園能滿地，尖收頂塔幾經春。龍翔鳳翥觀瞻壯，霞蔚雲蒸氣象新；母德恢宏光海表，馨香終古薦蘩蘋。」、「奉天宮殿接雲平，數載經營此日成；溥博神恩流海嶠，鼎新廟貌擬華清。卿雲絢爛浮丹闕，瑞靄氤氳繞畫楹；最是一番新氣象，衣冠蹌蹌薦粢盛。」、「百年宮闕建津南，笨北虞溪鼎立三；驚看劫灰飛寶地，旋依舊址結珠龕。廟模煥麗河山壯，后德恢宏雨露涵；此日煌煌開祀典，如雲士女競朝參。」、「笨南香火接湄州，赫濯聲靈遍海陬；廣布慈航叨后德，恆恬海浪仰神庥。龍翔鳳舞新宮闕，鵠立凫趨拜冕旒；薦告落成隆典禮，馨香俎豆祝千秋。」陳素雲主編，《林維朝詩文集．怡園唱和集》，頁 364-366。

一項風俗：每年農曆七月盂蘭盆會，輪值首事十二人，建醮設壇。然而這項民俗，由於主事者講究排場，極盡奢靡，相互較勁，輪值的商家有很多倒閉的。明治卅四、五年（1901、1902），連續兩年旱魃爲災，林維朝力排眾議，倡言廢撤，民困得以稍紓。然而反對的聲音仍時有所聞，對於一些聳人聽聞的迷信邪說，他往往據理辯駁不遺餘力，曾說：「媚鬼神以求福，理斷而所乖也，倘鬼神有靈，欲加譴責，余當身受之。」[10]由於他素來受鄉人敬重，又身居新港區街庄長，頗能收風行草偃之效，新港風氣爲之一變，轉爲樸實淳厚。

林維朝一直希望能以禮樂化民，則民風歸淳矣！早在光緒十一年（1885）時，他就將登雲書院春秋二季祭孔的樂局，重新創辦爲「鳳儀社」，社名取自尚書益稷篇「簫韶九成，鳳皇來儀」之意。林維朝至今仍被鳳儀社成員尊爲該社的開創者及第一代樂生，他的遺稿中還保留其題寫的柱聯：「琴弦雅韻隨流水，笙管餘音繞畫梁」[11]，可推測曾懸掛在登雲書院附屬的鳳儀社樂局之上。林維朝亦曾自製〈琵琶譜水操〉古樂譜[12]。「鳳笙琴弦調新韻，儀楷禮模習舊章」，即是林維朝爲「鳳儀社」所作的冠首聯。[13]如今這個新港擁有百年歷史

10　（日）五十嵐榮吉編纂，《大正人名辭典》（東京：東洋新報社，1915 年第二版發行），頁 1943。
11　林維朝，〈鳳儀社柱聯〉，《雜作》（未出版），頁 16。
12　林維朝，〈琵琶譜水操〉，《雜作》（未出版），頁 37-39。
13　陳素雲於一九八四年七月五日訪問鳳儀社團員林金宗之談話紀錄。

的國樂團，仍琴韻悠揚，笙歌不斷。

除了提倡國樂外，林維朝對於新港北管劇團「舞鳳軒」獎勵有加，推崇爲民俗藝團的龍頭，當時參加的團員皆爲身家清白的良家子弟，均以能參加北管劇團爲榮。舞鳳軒的曲路嚴守傳統，不要花腔，有「新港路」之稱，也爲新港贏得「北管巢」的美譽。據舞鳳軒團長徐東海敘述，他小時候常聽父親（按：其父亦爲舞鳳軒早期團員）提起，新港文化水準很高，沒有牛犁陣、車鼓陣這類低俗的表演團體，聽說鄉內有人爲了賺「軟」錢籌組車鼓陣，參事伯（按：林維朝）認爲太俚俗了，恐怕會敗壞民風，叫他去談話，後來組車鼓陣的計劃也就打消了。[14]

當時雲嘉南地區若有子弟戲團要請師傅開館，必先至新港請師傅,「新港北管巢」之名不脛而走。布袋戲大師黃海岱也曾於昭和初期到新港學習北管，是舞鳳軒的第三代弟子。如今「舞鳳軒」仍然弦歌不輟，並且多次公演，深獲民眾的喝采，被視爲曲藝界的瑰寶。回想先賢怕子弟學壞，成立曲館來教育他們的苦心，至今依然令人動容。絲竹雅樂潛移默化的教化功能，更使新港鄉得以成就今日的人文藝術之鄉。

14 陳素雲於一九九六年五月六日訪問舞鳳軒團長徐東海之談話紀錄。

第二節　振興地方經濟

林維朝對於地方經濟及金融方面的扶掖亦不遺餘力。自從絕意科舉功名之後，林維朝的幹才膽識轉移至產業經營方面。明治三十六年（1903），他在新港街經營德美煉瓦窯，林維朝的先祖在嘉慶年間笨港的漳州移民大舉遷移新港時，即曾經營瓦窯事業。[15]

明治四十年（1907）林維朝在打猫西堡後底湖（按：在今新港鄉大潭村）經營舊式糖廍。林維朝早在清領時期光緒十四年（1888），即曾在牛稠溪堡月眉潭庄（按：新港鄉月眉村）經營舊式糖廍；亦於光緒十七年（1891）在打猫西堡中庄（按：今新港鄉中庄村）經營舊式糖廍，有此經驗，故決意往製糖事業發展。明治四十二年（1909），又在打猫南堡海豐仔（按：今新港鄉海瀛村）創設舊式糖廍。[16]

他深知經濟的發展足以帶動一個地方的繁榮，而交通便捷與否則是關鍵之所在。明治四十一年（1908），臺灣全島之縱貫鐵道全線暢通，而早在前一年，輕便鐵道「打北輕鐵春

15 參見陳素雲，〈新港磚瓦窯史（一）〉，《新港文教基金會會訊》第一〇九期（2002年1月），頁15-16。
16 林維朝，〈經歷〉（手稿）。

龍公司」即已創立，林維朝擔任評議員，該年，輕便鐵道已由縱貫鐵路通過的打猫（按：民雄鄉）站，連接到新港及舊南港（按：今新港鄉南港村）站。翌年 1908 年，北港溪架設輕便橋樑後，再延伸至北港。進香客搭大線（按：縱貫鐵路）火車，再接駁輕便鐵道，至新港奉天宮與北港朝天宮進香者絡繹不絕，鐵路沿線的嘉義、彰化、臺中等，在二、三月進香期更是無立足之地。[17]民雄→新港→北港的輕便鐵道班班大爆滿，一再加開班次。[18]

明治四十三年（1910）九月，林維朝亦因擘畫此路線有功，被選舉爲打北輕鐵春龍公司長。[19]對歷經兩次震災浩劫後的新港及北港之經濟復甦，有很大的貢獻。

林維朝扶掖襄助本土金融最著的，則是其施鐵腕與其摯友徐杰夫挽救破產的嘉義銀行（按：今之第一銀行）。林維朝原本經營數處糖廍與源泉酒場以及德美瓦窯，經濟實力蒸蒸日上，他在實業上的才能漸受肯定，明治四十四年（1911）三月，被推薦爲嘉義銀行副頭取（按：今之副董事長）。而他也在明治四十五年（1912）四月辭去新港區長的職務，專心往實業方面發展。

---

17 《臺灣日日新報》明治四十三年（1910）年三月廿六日所載。

18 參見陳素雲，〈糖鐵嘉北線與北港鐵橋〉，《臺灣月刊》第二三九期(2002年 11 月），頁 64-68。

19 《大正人名辭典》，頁 1943 所載：林維朝於「（明治）四十年（1907）九月見選打北輕鐵春龍公司長」有誤。據林維朝所撰之〈履歷書〉及〈經歷〉，均爲明治四十三年（1910）。

嘉義銀行創立於明治三十七年（1904）十一月，於明治三十八年（1905）五月開業，爲本土資金最早組織的金融合資會社，對於臺灣經濟發展有極大的助益。林維朝當選爲副頭取時，正值嘉義銀行風雨飄搖面臨危機之時，到了大正二年（1913），嘉義銀行業務挫折，雖屢次召集無限責任股東商議，謀求補救之道，但已病入膏肓，無法挽救，不得不於八月八日對外停止營業。當時官廳欲謀救濟，勸誘無限責任社員提供財產，以便融通資金，再行開業。當時社員誤解者多，咸躊躇不前，林維朝與理事徐杰夫率先提供財產，並極力勸導各社員；又幾次北上，向財政局長陳情，並懇請臺銀頭取援助整理，經兩月之久，始告成功。[20]

在整頓嘉義銀行時，林維朝殫精竭慮，力挽狂瀾，居功厥偉，因此在大正三年（1914）理事會改選時，由副頭取昇任爲頭取，而嘉義銀行也在其慎重的擘畫經營下，逐漸有了轉機，翌年三月，更在臺南設立支店一所。[21]

由於林維朝傾家挽救嘉義銀行，失血過多。再加上此時日本新式製糖會社在日方政策的保護下，大舉進入臺灣，舊式的糖廍遭受空前的打擊；即便是林維朝與嘉義蘇美記[22]在

20 徐杰夫，〈壽序〉，林維朝編，《壽詩文集附并蒂菊詩》，陳素雲主編，《林維朝詩文集・壽文集》，頁 410。

21 第一銀行慶祝創立七十週年籌備委員會編，《第一銀行七十年》（臺北：第一銀行出版，1970 年），頁 23-25。

22 蘇美記，即蘇育奇，嘉義山仔頂庄人。開設「美記商店」，經營煙草、和洋雜貨、酒、糖、米批發而成功致富。明治四十二年（1909）二月授佩

明治四十四年（1911），於臺中廳線西堡溪底庄（按：今彰化縣伸港鄉溪底村）經營的改良糖廍，亦受創嚴重。[23]其持股頗多的「打北輕鐵春龍公司」，亦因北港製糖株式會社開闢的嘉北線，於大正六年（1917）加入載客行列，以致營運每下愈況。而其在新港街經營，獲利極多的源泉酒場，亦因臺灣總督府於大正十一年（1922）施行的酒類專賣制度，不得不歇業，以致經濟實力遽減。即使是如此之困境下，他仍利用其人脈及影響力，多方推動新港鄉的經濟發展。

經一九〇四、一九〇六年的兩次大地震後，新港百業蕭條。在發起重建奉天宮後，爲了刺激經濟，活絡商機，林維朝積極引進外資，於大正五年（1916），在新港成立公司制的嘉昌商行，經營酒類、糖粉、穀類等雜貨買賣。由於制度健全、經營得法，於大正七年（1918），即增資擴張資本額爲壹

紳章。歷任嘉義廳學務委員、地方稅委員、公共埤圳評議員、嘉義街協議會員。並曾獲授紅十字勳章。明治四十四年（1911），與林維朝於臺中廳線西堡溪底庄（今彰化縣伸港鄉溪底村）合資經營改良糖廍，於大正四年（1915）結束糖廍事業。【參閱《臺灣列紳傳》，頁 238，蘇育奇條；陳素雲於 2006 年 9 月 17 日專訪嘉義市蘇周連宗親會榮譽理事長蘇嘉慶之談話紀錄；林維朝，〈經歷〉】。

23 林維朝，〈經歷〉：「（明治四十四年）經營台中廳線西堡溪底庄改良糖廍至大正四年止」；林維朝，大正九年（1920）所立之〈財產配與書〉：「明治四十四年（1911）糖廍盡爲會社所并，乃與嘉義蘇美記合資創設彰化線西堡改良糖廍，經營伊始，即值大正元、二兩年（1912、1913）暴風霪雨相繼爲災，天時、地利、人事三者俱困，經營四載，損失計有八萬餘金，舉數年糖廍之利益，盡於此四載之糖廍失之，負債纍纍，幾於一蹶不可復振！」。

萬元。股東包括太保庄（按：今嘉義縣太保市）的王少儀[24]、大莆林（按：今嘉義縣大林鎭）之江文蔚[25]，雙溪口（按：今嘉義縣溪口鄉）之張進文，及新港的郭寬容[26]、蔡海吉。[27]

昭和三年（1928），他又引進東石郡六腳庄（按：今嘉義縣六腳鄉）士紳呂昇平，與本地資本結合，經營新隆益商行。[28]這些外地股東均為地方上富甲一方的殷商，且具舉足輕重的影響力，他們之所以投資挹注新港產業，純是衝著與林維朝的深摯友誼，然而這些深具指標的企業家願意來此投資，不啻給歷經震災浩劫的新港小鎭一劑強心劑。

另一方面，他也積極推動新港產業的復甦，如由林氏家

---

24 王少儀，即王棟梁家族，王棟梁，字迺任，清咸豐四年（1854）生於佳里興（今臺南縣佳里鎭），起租業於太保庄。清同治年間嘉邑諸生。曾為太保庄王得祿第九子王朝文之西席。明治三十一年（1898）四月授佩紳章，家貲富裕，樂施好善。【參閱《臺灣列紳傳》，頁 255-256，及賴子清，〈嘉義科甲選士錄〉，《嘉義文獻》創刊號，頁 78，王棟梁條】。

25 江文蔚，大莆林（今嘉義縣大林鎭）人。清光緒六年（1880）生。明治四十二年（1909）任大莆林區庄長。翌年廢庄改區，仍任職區長。大正元年（1912）八月授佩紳章。大正九年（1920）十月膺任大林庄長並任大林信用組合長、臺南州土木委員。昭和六年（1931）七月辭退庄長之職，專心活躍於實業界。晚年膺選為臺南州議員。值得一提者為與林慶生合資鋪設輕便鐵路通新港、北港，以促進地方繁榮。【參閱《臺灣列紳傳》，頁 248；邱麟翔，〈嘉義縣鄉賢錄〉，《嘉義文獻》第十四期（1983年 7 月），頁 48，江文蔚條】。

26 郭寬容，嘉義縣新港番婆庄（今安和村）人，國語速成科畢業生。經營糖廍數處，在番婆庄設改良糖廍一處。明治三十三年（1900）任月眉區書記；三十七年（1904）為番婆庄保正。大正元年（1912）八月授佩紳章。【參閱《臺灣列紳傳》，頁 249，郭寬容條】。

27 〈嘉昌商行合資契約書〉，大正七年（1918）四月一日所立。並參見陳素雲，〈尋找新港老店鋪 — 嘉昌商行〉，《新港奉天宮平安報（雙月刊）》第十期（2003 年 11 月），頁 2。

28 〈新隆益契約書〉，昭和三年（1928）七月十日立。

族主導，本地資金匯集的糕餅公司 —— 桂香齋，曾一舉打響了新港飴的全臺甚至海外的知名度。[29]凡此種種，均有振興在地產業，活絡市場機能之苦心孤詣。

第三節 保存傳統文化

一、傳承漢學薪火

雖然是在日本統治下，然而林維朝一直視中國傳統文化爲心靈之依歸。他以詩文與林旭初、徐杰夫、徐埴夫[30]、施梅樵[31]、蔡子珊[32]等傳統文人相濡以沫、互相唱和，藉詩詞以

29 參見陳素雲，〈尋找新港老店鋪 —— 桂香齋〉，《臺灣月刊》第二七〇期（2005 年 6 月），頁 60-64。

30 徐埴夫，榜名念勳，號竹舫，清光緒年間秀才，乃嘉義山仔頂徐杰夫堂弟。乙未之變，年祗二十二，不預世務，深居簡出，終身恬退，藝菊爲樂。大正二年（1913）四十初度，曾刊唱和詩留念。著有《竹舫吟草》。【參閱賴子清，〈嘉義科甲選士錄〉，《嘉義文獻》創刊號，頁 81】。

31 施梅樵（1870-1949），彰化鹿港人，字天鶴，號雪哥，中年更號爲蛻奴，晚號可白。光緒年間秀才。父施家珍爲同治歲貢生，光緒十四年（1888）與鹿港廩生施悅秋被誣，以勾結施九緞作亂遭通緝，遂往泉州避難，憂憤而卒。日治之初，施梅樵與洪一枝、許夢青等人共組鹿苑吟社。日治後期，梅樵離開鹿港，到處設帳授學，足跡遍三臺，桃李滿天下。梅樵以驚世之才，而屢遭運蹇，其人雖不拘小節，但從其詩作仍可看出他憂國憂民的愛國情懷。著有《捲濤閣詩草》、《鹿江集》、《玉井詩話》等。享年八十歲。【參閱施懿琳、楊翠合撰，《彰化縣文學發展史》（彰化：彰化縣立文化中心，1997 年），頁 103-105，及許雪姬總策畫，《臺灣歷史辭典》，頁 576，歐素瑛撰，施梅樵條】。

32 蔡子珊，雲林縣北港人，清光緒年間廩生。明治三十年（1897）十一月登庸北港辦務署參事。翌年三十一年（1898）二月授佩紳章。明治三十

澆胸中之塊壘，抒發鬱悶之襟懷。

明治三十九年（1906），嘉南平原發生大地震，新港唯一傳習漢學的登雲書院，也夷爲平地，爲了延續漢文化，林維朝在自己的宅第開辦私塾。漢學在乙未割臺後，端賴書院延續生機，明治三十一年（1898），日人頒布「書房義塾規則」，加以制限；登雲書院倒塌後，不得重建，林維朝爲傳遞漢學薪火，毅然決然在林家古厝怡園開館授徒。大正八年（1919），日本頒布「臺灣教育令」，禁止私塾、書院教習漢文，不顧日本當局之側目，怡園仍然弦歌不輟。

大正十一年（1922），全島詩潮澎湃，舊嘉義廳下各市郡，皆先後成立詩社。林維朝早在明治四十一年（1908）十月，即已被任命爲嘉義廳參事；大正九年（1920）自治制施行，又被選爲臺南州協議員，在地方上具有一言九鼎的威望。他乃鼓勵一批有心傳承漢學薪火的青年人，籌組「㲉音吟社」。「㲉音」即鳥鶵咬破卵殼將出之聲，取其初學之意，用以勗勉青年從初習起，希望傳統漢學能薪火相傳下去。參加者有新巷（按：新港）、溪口、大埤等十數名，並於大正十二年（1923）加入嘉社。

在㲉香吟社創立五周年時，曾開紀念吟會，邀宴嘉社詩

三年（1900）四月，至日本各地遊歷，增進不少見聞。明治三十四年（1901）三月以病卒，享年四十四歲。【參閱《臺灣列紳傳》，頁 280，及賴子清，〈嘉義科甲選士錄〉，《臺灣文獻》創刊號，頁 73，蔡子珊條】。

人。林維朝次子林開泰於紀念會上，曾撰〈轂音吟社五周年紀念大會〉一詩：「清音自脫鳳凰胎，屈指黃花五度開；劫後文章資砥礪，眼前風月快追陪。詩盟昔日傳蓮社，韻事今朝繼福臺；勝會且欣逢盛典，愧無佳詠動蓬萊。」[33]昭和四年（1929），嘉社重編社員名簿時，轂音吟社社員爲張象賢[34]、何際虞、郭寬容、張進國[35]、吳石祥、黃傳心[36]、林開泰、張禎祥[37]、沈玉光、吳瓊榮、洪大川等十一人。

林維朝與文友間充滿著惺惺相惜之情，並未文人相輕。他的好友民雄的楊爾材[38]，應邀至朴子的樸雅吟社擔任社長

33 賴子清，〈古今臺灣詩文社（一）〉，《臺灣文獻》第十卷第三期（1959 年 9 月），頁 19。

34 張象賢，嘉義縣溪口鄉人，轂音吟社社員。

35 張進國（1886-1952），嘉義縣溪口鄉人，自號笑園主人，受教於新港林維朝秀才。在溪口開設存仁醫院，日治時期，曾任溪口庄庄長。昭和三年（1928），張進國手創笑園吟社，社員三十餘名。

36 黃傳心（1895-1979），原名黃法，字傳心，號劍堂，東石鄉人。自幼師承西瀛趙鵬沖秀才，結髮出入新港林維朝秀才之門。轂音吟社、鷗社等社成員，亦爲書法家。設帳課徒，足跡遍嘉雲南一帶，鼓吹民族意識，屢被日警所側視，幾次險作階下囚。臺灣光復，歷任虎尾區署秘書、虎尾中學教師、虎尾糖廠文書，及嘉義、雲林縣文獻委員會委員等，民國 45 年（1956）移居朴子街。曾任嘉義縣詩人聯誼會、樸雅吟社、江濱吟社、石社等顧問，著有《劍堂詩草》等書。弟黃秀峯，名詩人，亦名書法家。【參閱邱奕松，《樸雅詩存》（嘉義縣朴子市：嘉義縣詩學研究會，1994 年），頁 114-115。

37 張禎祥（1896-1972），世居雲林縣大埤鄉，師承新港林維朝、鹿港施梅樵等名師。1945 年曾任大埤鄉第一任官派鄉長，但因性喜自然，就任三十天即辭官歸隱三秀園。其遺著由長子張達聰整理編纂成《三秀園詩草》一書，於 2003 年出版。

38 楊爾材，號近樗，嘉義縣民雄鄉人，釀酒爲業。大正十一年（1922）受朴子鎭樸雅吟社之聘，充社長兼主講，著有《近樗吟草》（沒後其知友門生輩爲之付梓）。民國四十一年（1952）卒，享壽七十一。【參閱嘉義縣

兼主講，林維朝也應好友之邀至該吟社客座講學，並幫忙評閱詩文，如嘉義名詩人蔡策勳在朴子時曾受教於林維朝，並蒙其嘉許與指點，至今仍感念在心。[39]

林維朝提拔後進之心未曾稍懈，又以事務繁忙，不克時時躬親督課，故邀摯友吳蔭培[40]至新港教館，弟子洪大川對兩位恩師的教導銘感不已：「洎乎年近弱冠，歲次丙寅（按：一九二六年），曾蒙好友，薦到柴林（按：嘉義縣溪口鄉），擔任教塾，冀閒復補餘經，苦逢韻府關鍵，無人開闔，焉能進詩境於玄關，登大雅於高堂哉？嗣後為感冒請醫，辱蒙開泰兄為介紹，遂並遊於碩儒林維朝、吳蔭培二夫子之門，一坐春風，連沾化雨，自此每遇花晨月夕，擊鉢催詩，經餘精義，堪資互證，若非二師之善誘，三載之薰陶，其韻府閎高，安可踰牆而入乎？」[41]

在臺灣詩壇頗富盛名，栽培後進無數的東石才子黃傳

文獻委員會編，《嘉義縣志稿卷七人物志》（嘉義：嘉義縣文獻委員會，1962年），頁92，楊爾材條】。

39 陳素雲於1999年6月10日專訪嘉義耆老蔡義方之談話紀錄。蔡義方，字策勳，嘉義縣布袋鎮人，大正六年（1917）出生。嘉義市麗澤吟社立案第一任社長，著有《海濤閣詩集》等。

40 吳蔭培，字竹人，新竹人，清光緒年間秀才，竹社成員。昭和二年（1927），曾應好友林維朝之請，至新巷（今新港）協同教館三年。後轉往宜蘭教館。【參閱洪大川，〈敬輓吳蔭培夫子千古〉，《事志齋詩文集・事志齋文集》，卷二，頁24-25，及賴子清，〈古今臺灣詩文社（一）〉，竹社記事】。

41 洪大川，〈事志齋吟草・自序〉，《事志齋詩文集》（1966年自費出版），頁3。

心，自幼結髮即出入秀才林維朝之門，蒙受其薰陶。[42]而雲林名詩人張禎祥，也遠從大埤騎馬至新港拜林維朝為師。[43]林維朝的弟子，曾擔任過溪口鄉鄉長的張進國，亦效法其師結社吟詠，於昭和三年（1928），手創笑園吟社，社員三十餘名，春秋佳日，觴詠於張氏別墅笑園。[44]林維朝對於後進的提攜一直是不遺餘力的，而他的弟子也沒讓他失望，漢學薪火持續傳承，綿延不絕。

二、擊鉢聯吟寄餘生

日本治臺十餘年，人心漸次安定，林維朝與白玉簪[45]、周掄魁[46]、陳家駒[47]、郭文炳[48]、林植卿[49]、羅維屏[50]、張浚三

42 邱奕松編著，《樸雅詩存》（嘉義：嘉義縣詩學研究會，1994 年），頁 114。
43 陳素雲於 2001 年 11 月 1 日專訪大埤詩人張禎祥之次子張達仁之談話紀錄。張達聰（張禎祥長子），《三秀園詩草．序》談及其父張禎祥之師承為「新港林開泰先生（清朝．秀才）」有誤，宜更正為「林維朝先生」。【參閱張禎祥，《三秀園詩草》（雲林縣大埤鄉：張達聰自費發行，2003 年）】。
44 賴子清，〈古今臺灣詩文社（一）〉，《臺灣文獻》第十卷第三期，頁 24，笑園吟社條。
45 白玉簪，字笏臣，出自嘉義臺斗坑白瑛將門，光緒年間嘉義縣學生員。博學能詩，詩文俱妙。日治時期，在白河東山設塾教學，著有小說《金魁星》，載於《三六九小報》，膾炙人口。【參閱賴子清，〈嘉義科甲選士錄〉，《嘉義文獻》創刊號，頁 84，白玉簪條】。
46 周掄魁，祖先乾隆年間，由漳州遷往鹿港，後移嘉義城西。清光緒十一年（1885）考中秀才。明治三十六年（1903）被選為水涵口保正。明治四十二年（1909）六月卒。【參閱賴子清，〈嘉義科甲選士錄〉，《嘉義文獻》創刊號（1961 年 10 月），頁 79，周掄魁條】。
47 陳家駒，字少圃，嘉義人。清光緒年間生員，工小楷。日治時期，設塾教學。大正十二年（1923），應北港曾席珍之聘，課授汾津吟社三、四年。晚年坎坷，而詩益工。其弟子有汾津吟社詩人王東燁等人。【參閱賴子清，

[51]、張銘三[52]、賴建藩[53]、黃朝清[54]、歐陽君蔚[55]、徐杰夫、徐埴夫諸茂才，暨賴雨若[56]、許紫鏡[57]、莊伯容[58]、蘇孝德[59]、

〈嘉義科甲選士錄〉，《嘉義文獻》創刊號，頁 81-82，陳家駒條】。

48 郭文炳，字風友，嘉義人，生於同治十年（1871）。清光緒年間生員。性恬淡，安貧樂道。日治後，開塾教書。晚年，經濟拮据，遂業土地代書以謀溫飽。【參閱賴子清，〈嘉義科甲選士錄〉，《嘉義文獻》創刊號，頁 81，及《嘉義縣志稿卷七人物志》，頁 84，郭文炳條】。

49 林植卿，即林培張，字植卿，清同治三年（1864）生於嘉義，清光緒年間秀才。日治後在家教塾，著有《寄廬遺稿》，卒年七十餘。【參閱賴子清，〈嘉義科甲選士錄〉，《嘉義文獻》創刊號（1961 年 10 月），頁 80-81，林培張條】。

50 羅維屏，字君垣，又號蒓園，嘉義人，清光緒年間秀才。清同治元年（1862）生，割臺後在嘉義縣水上鄉開藥鋪，行中醫。【參閱賴子清，〈嘉義科甲選士錄〉，《嘉義文獻》創刊號（1961 年 10 月），頁 82，羅維屏條】。

51 張浚三，字謹卿，號曲江，嘉義人，清光緒年間秀才，日治後曾任嘉義地院通譯。父張飛鵬，歷任江西省經歷，湖北大冶縣令，生四子，浚三爲其長子。【參閱賴子清，〈嘉義科甲選士錄〉，《嘉義文獻》創刊號（1961 年 10 月），頁 81，張浚三條】。

52 張銘三，字棣軒，張浚三之弟。清光緒年間秀才。乙未割臺後，學非所用，日與徐杰夫、蘇朗晨對奕消遣，業土地代書。【參閱賴子清，〈嘉義科甲選士錄〉，《嘉義文獻》創刊號（1961 年 10 月），頁 81，張銘三條】

53 賴建藩，字玉屏，號麗生，嘉義人，清光緒十九年（1893）以第五名取進縣學。乙未割臺後，任教公學校，擅長書道、奕棋。子柏舟，亦能詩能奕。【參閱賴子清，〈嘉義科甲選士錄〉，《嘉義文獻》創刊號（1961 年 10 月），頁 80，賴建藩條】。

54 黃朝清，字爾廉，清同治九年（1870）生，嘉義人，清光緒年間秀才。乙未割臺後設塾教書，七十餘歲卒。【參閱賴子清，〈嘉義科甲選士錄〉，《嘉義文獻》創刊號（1961 年 10 月），頁 81，黃朝清條】。

55 歐陽君蔚，世居嘉義城內，割臺後，在白河行醫。年八十餘歲卒。【參閱賴子清，〈嘉義科甲選士錄〉，《嘉義文獻》創刊號（1961 年 10 月），頁 82，歐陽君蔚條】。

56 賴雨若（1878-1941），號壺仙，嘉義市人，賴世觀長子。1923 年登第日本高等文高辯護士金榜，是臺南州轄內臺灣第一位律師。曾與林玉書等詩友結成茗香吟社、嘉社，舉辦聯吟大會，1926 年膺選爲臺南州協議會員，並開設「壺仙花果園義塾」，免費教授四書、五經。戰後，1947 年賴雨若被旌表爲「抗日烈士」。賴雨若之獨生女賴麗渚嫁與林維朝長子林蘭芽當繼室。【參閱許雪姬總策劃，《臺灣歷史辭典》，頁 1276-1277，潘

陳景初[60]、賴瞻如、林純卿、王殿沅[61]、賴惠川[62]、林玉書[63]、沈瑞辰、何啓緒等六十餘人，組織羅山吟社，設有例課，月

世輝撰，賴雨若條】。

57 許紫鏡，號素癡，世居嘉義西門內，羅山吟社社員。凡技擊、音樂、圍棋，無一不精。曾至後大埔（今嘉義縣大埔鄉）設塾教漢學；晚年在大莆林（今嘉義縣大林鎮）教書。【參閱《嘉義縣志稿卷七人物志》（嘉義：嘉義縣文獻委員會，1962 年），頁 91】。

58 莊伯容，嘉義南門人。光緒七年（1881）秀才；光緒十七年（1891）台灣武毅軍聘爲文案主務；光緒二十年（1894）賞授軍功五品職銜保舉。後學醫。明治三十三年（1900）登庸嘉義辨務署參事。三十四年（1901）十一月更任嘉義廳參事。三十五年（1902）八月授佩紳章。【參閱《臺灣列紳傳》，頁 235，莊伯容條】。

59 蘇孝德，字朗晨，號櫻村，嘉義美街（今成仁街）人，善行草，詩文燈謎俱工。明治四十年（1907）任嘉義區長，兼攝山仔頂(今嘉義市郊東川、長竹、短竹里)、臺斗坑(今嘉義市郊中庄、頂庄里)兩區長。大正二年（1913）辭職。大正十二年（1923），嘉義廳下羅山吟社等十詩社，合爲嘉社，不置社長，推蘇孝德爲專務。昭和十八年（1943）去世，享壽六十六。【參閱《臺灣列紳傳》，頁 235，及《嘉義縣志稿卷七人物志》，頁 89，蘇孝德條】。

60 陳景初，字虬松，嘉義人，羅山吟社社員。曾與林維朝合編《崇文社百期文集》（嘉義：蘭記書局，1928 年，黃哲永收藏）。

61 王澱沅（1892-1972），字芷汀，祖籍福建泉州府同安縣，嘉義人。幼師事林殿本，十六歲就讀臺南師校，嗣任林仔腳（今嘉義縣朴子）公學校訓導，教學嚴謹。不久改就南靖糖廠工作。公餘浸淫古籍，加入羅山吟社。1945 年因青光眼失明後，猶口述子弟代筆，成《脫塵齋詩稿》一書。【參閱江寶釵，《嘉義地區古典文學發展史》（嘉義：嘉義市立文化中心，1998 年），頁 304-305】。

62 賴惠川（1887-1962），名尙益，號悶紅老人。編著有《悶紅小草》、《詩詞合鈔》等書。

63 林玉書（1882-1964），號臥雲，又號香亭，嘉義人。明治三十六年（1903）臺灣總督府醫學校畢業，返鄉行醫，以內科、小兒科著稱。早年與賴雨若等組茗香吟社；後又與白玉簪等創立羅山吟社，多次舉辦聯吟大會。詩書畫俱佳，善繪松竹，又好藝蘭、圍棋。昭和三年（1928）與蘇孝德組織「鴉社書畫會」舉辦聯展。晚年退隱高雄市南園。著有《醉霞亭集》二卷、〈六一山人讀書筆記〉等手稿，其詩作《臥雲吟草》於 1992 年由龍文出版社出版。【引自許雪姬總策畫，《臺灣歷史辭典》，頁 472，蔡說麗撰，林玉書條】。

恒數次雅集，以詩會友，以友輔仁。月夕花晨、淺斟低唱、或擊鉢而攤箋，或拈題而選韻。並與臺中櫟社、臺南南社、新竹竹社、臺北瀛社諸吟侶，往來唱和。[64]明治四十三年（1910），林維朝曾賦〈秋夜羅山吟社大會〉一詩：「東吟響歇幾經年，舊調翻新繼昔賢；玉露夜涼侵四座，桂花香滿會羣仙。飛觴共醉藤蘿月，擊鉢催成錦繡篇；最是羅山生色處，客星燦爛照歌筵。」[65]大有嗣響東吟之樂，重續斐亭之鐘的襟懷。

大正十二年（1923），林維朝率其創立的鷇音吟社加入嘉社，與朴子街樸雅吟社、鹽水街月津吟社、西螺街菼社、北港街汾津吟社、新營、柳營二庄新柳吟社、布袋庄鶯社，及嘉市羅山吟社、玉峰吟社、鷗社嘉義廳轄共十詩社，大冶一爐，設爲嘉社。[66]

在集會結社，以詩會友間，他似乎找著了身心的安頓處，擊鉢聯吟，參與詩鐘或徵詩活動，成了他一生中最大的樂趣。與其往來的詩社除了嘉社十大吟社外，尚有臺北市的瀛社、天籟吟社、星社、淡北吟社，臺北縣的萃英吟社，桃園縣的大溪吟社、文社，新竹的竹社，臺中縣的櫟社、白沙

64 賴子清，〈古今臺灣詩文社（一）〉，《臺灣文獻》第十卷第三期，頁 16，羅山吟社條。
65 林維朝，〈秋夜羅山吟社大會〉，陳素雲主編，《林維朝詩文集．初囀集》，頁 208。
66 賴子清，〈古今臺灣詩文社（一）〉，《臺灣文獻》第十卷第三期，頁 20，嘉社條。

吟社，彰化縣的麗澤會、崇文社、螺溪吟社、北斗吟社、大冶吟社，雲林縣的斗六吟社，嘉義縣的岱江吟社，臺南市的南社、桐侶吟社、酉山吟社，高雄市的苓洲吟社、旗津吟社，屏東縣的礪社等。昭和三年（1928），林維朝又與好友陳景初編輯《崇文社百期文集》，由嘉義市蘭記書局出版。確實是手不停揮，口不停吟，然抒懷感時之作已逐漸隱退。

摯友徐杰夫曾如此形容林維朝：「性慷慨，富公德心，造輕鐵以便交通，建學校以興教育，廣賑濟以救貧窮，諸凡義舉，莫不首先樂為，當道亦曾以篤行表彰之，今也故園退隱，獨以吟詠為樂，暇時輒邀都人士擊鉢聯吟，竟夕不厭，然心愈勞而精神矍鑠，德彌厚而志氣堅強。」[67]對其晚年樂此不疲於擊鉢聯吟，有極貼切的描繪。

觀其詩作，大正六年（1917）起開始大量創作詩鐘；又如大正十二年（1923）得詩四百十一首，大正十三年（1924）得詩二百四十八首，絕大多數均為擊鉢詩或詩鐘，多少精力、體力耗盡於斯，誠足惜哉！觀其早期詩作，無論是敘事感時、詠史抒懷，均頗有可觀處，尤其身歷改隸亂離，滄桑悲涼之感溢於言表，字字血淚，令人動容，個中處處有作者的身影；晚期酬酢之作汗牛充棟，雖工於音韻辭藻，然其文學價值是遠遠遜於早期真誠之作。

---

67 徐杰夫，〈壽序〉，林維朝編，《壽詩文集附并蒂菊詩》，陳素雲主編，《林維朝詩文集．壽文集》，頁 410。

林維朝個人之文學走向，並非純屬個案，而是大多數傳統文人的文學趨向。似乎可揣測出隨著日本統治臺灣趨於穩固，而日本殖民化與現代化同時進行的治臺政策，傳統文人似乎感到改變現狀已屬不可能，故其隱晦曲折的反抗心理，唯有寄情於此類懷念傳統文化的文字遊戲中。

第四節　建構臺灣意識與精神典範

一、保存地方史料與歷史記憶

林維朝對於地方的另一項貢獻，乃在他對於地方史料的建構與保存。明治四十三年（1910），他被選爲嘉義廳誌編纂委員，新港及附近地區許多史實，賴其調查撰寫而得以保存。並完成新港地區〈學事調查事項〉，謂新港有書院、義塾、書房、社學、學田、公學校的設置。[68]登雲書院在一九〇六年毀於震災，苦於無文獻可資證明，一直處於被攻擊質疑中，書院石碑在民國五十五年（1966）才被挖掘出土；《台灣十大災害地震圖集》，則於一九九九年才出版。新港國中已退休教師陳瑞祥早在地震圖片「出土」之前，即以碑文舉證登雲書院之確實存在，並以林維朝此文作爲佐證，見證當年新港人

68 林維朝，〈學事調查事項〉，《雜作》（手稿本，未出版）。

文之薈萃。[69]

對於笨港遭洪水侵襲，導致漳泉居民大舉遷移的史實，林維朝在其詩文稿中亦曾提及。林維朝遺稿中有著如下的記載：「聖母舊廟曩原合祀在舊笨港，百餘年前因洪水之故乃分晰焉，新港分祖媽，北港分二媽，虞朝溪（按：新港鄉溪北村）分三媽，三廟鼎立」[70]。嘉慶二年及四年，兩度烏水氾濫，笨港及笨港街加速沒落，媽祖廟被洪水沖毀，北港朝天宮、新港奉天宮、溪北六興宮皆爲其後所建。

由上述記事可推測新港奉天宮、北港朝天宮、溪北六興宮應是同源分流。每回新港、北港因媽祖正統而爭時，林維朝的文稿一再被捲入兩宮爭執，或被用來佐證史實，或成爲

---

69 陳瑞祥，撰有〈登雲書院考略〉一文，載《臺灣史蹟研究論文選輯》（臺灣史蹟源流研究會七十四年會友年會編，1985 年），頁 33-35。按：陳瑞祥於 1981 年參加臺灣史蹟源流研究會，當時王啓宗講授「臺灣的書院」這門課，未將新港登雲書院列入，顯然當時王不知道有登雲書院，陳瑞祥乃就己所知，告訴王啓宗：清朝道光十五年（1835）立的「新建登雲書院喜捐緣金名碑」，早在 1966 年出土的事實。而陳瑞祥亦在此時立下了爲登雲書院寫史的心願。後來王啓宗寫成《臺灣的書院》（臺北：行政院文化建設委員會，1984 年）一書，書中列入登雲書院。1986 年，黃秀政發表〈清代臺灣的書院〉【收入黃秀政，《臺灣研究史》（臺北：臺灣學生書局，1992 年）】，亦隨之將登雲書院列入。綜上所述，1966 年出土的「新建登雲書院喜捐緣金名碑」，以及新港秀才林維朝遺稿對登雲書院的描述，加上 1999 年出版的《台灣十大災害地震圖集》，收有六幀攝於 1905、1906 年的登雲書院圖像及書院平面圖等種種史實，均證明「登雲書院」存在之事實。

70 林維朝，〈祝新港奉天宮落成式〉原詩如下：「百年宮闕建津南，笨北虞溪鼎立三；驚看劫灰飛寶地，旋依舊址結珠龕。廟模煥麗河山壯，后德恢宏雨露涵；此日煌煌開祀典，如雲士女競朝參。」在「笨北虞溪鼎立三」之下，林維朝加上此段註解。見陳素雲主編，《林維朝詩文集．怡園唱和集》，頁 366。

攻詰的對象。[71]

民國五十五年（1966）以來，新港奉天宮與北港朝天宮，爲爭媽祖正統一直處於劍拔弩張之爭鬥中，這種情形在林維朝的時代並未發生，明治三十九年（1906），地震爲災，朝天宮破裂傾斜，北港街庄長蔡然標首創募資改築，遂有今日金碧輝煌之規模；而北港溪東北隅被溪流沖決逐流崩陷，幾乎危及市衢，街民深感不安，亦由蔡先生偕同曾席珍向日本當局陳情，懇請撥帑補助建築護岸，大正九年（1920）四月動工，經日夜辛勤監督，未及一載而告竣工，這兩項事關北港興衰的大事，均由蔡然標一手主導，蔡氏於昭和四年（1929）十月過世，北港街之友人憂慮蔡然標之立身行事久而湮沒不

71 新港文史研究者李安邦醫師，於 1966 年完成《漢族開臺基地笨港舊跡及其歷史文物流落考》，舉出許多資料，證明在清朝嘉慶年間，笨港被洪水沖毀，古笨港天后宮（俗稱天妃廟）及其重要文物，如乾隆年間的香爐及古匾，都遷到「笨新南港」，也就是今天的新港。翌年，旅日學者李獻璋博士，完成〈笨港聚落的成立，及其媽祖祠祀的發展與信仰實態〉【《大陸雜誌》第三十五卷第七、八、九期（1967 年 10、11、12 月）】，亦同意此說。北港方面却堅稱笨港並未被毀，朝天宮即是笨港天后宮。蔡相煇等編修，《笨港史的真象 — 笨港毀滅論、天妃廟正統卌年公案之廓清》（雲林縣北港鎭：笨港媽祖文教基金會，1990 年 6 月初版第一刷），頁 36 及 62 有著如下之記載：「林維朝先生官居『嘉義廳編修』，若奉天宮重修時古時石材石彫確爲『天后宮』遺物，以其『專業』文才斷然無不留下隻字片語以證其真……。此說實是有辱林金生先生之先人！」「按林維朝氏曾於民前五年倡修奉天宮，林氏亦從事歷史編修工作，奉天宮若確爲天妃廟正統，林氏當年查修廟宇後何無立碑載明？林氏又何以不爲奉天宮歷史沿革留下史證？」又蔡相煇編撰，《北港朝天宮志》（雲林縣北港鎭：財團法人北港朝天宮董事會，1995 年增訂初版），頁 327，更是語帶嘲諷地說：「『笨港毀滅論』已成地方笑談」。新港方面則提出反駁，林德政，《新港奉天宮志》（嘉義縣新港鄉：財團法人新港奉天宮董事會，1993 年初版），頁 1-58，對笨港天后宮之毀滅問題有極詳盡之論述。

彰，故懇請林維朝爲他撰寫墓誌銘，並勒之於石。[72]

在林維朝的遺稿中，有〈蔡瑞芳先生墓表〉、〈蔡瑞芳先生吊（按：今作弔）詞〉二文，可證其情誼之深，相知之厚；當時朝天宮的董事如曾席珍等，亦是怡園的座上常客，吟詩唱和，過往甚密，未聞有對立交惡之事。林維朝之詩註提及媽祖廟遭洪水沖毀，同源分流爲三座廟之史實，應是具有可信度的。

新港街及附近地區一些商家如忠勝布店，西成、廣生藥店，呈記、隆益雜貨店，寶和、玉美銀店等，均以獲得他的冠首聯爲無上榮耀。如今這些門聯成了研究當時產業發展的線索。[73]，而一些名山古刹以及歷史建築亦留有其詩文。

此外，新港附近地區一些已湮滅的史蹟，如聖母井，亦由其所著的〈新港聖母井碑記〉，可遙想當年的景況。其餘諸如〈重修新港西義塚碑記〉、〈自來井落成式辭〉、〈重建奉天宮寄附金募集疏〉、〈祝新港公學校三十週年〉、〈祝北港公學校校友會雜誌發刊〉等，均是珍貴的地方史料。

値得一提的是，明治四十二年（1909），新高製糖會社申請在大莆林（按：嘉義縣大林鎮）設立嘉義工場（按：後來之大林糖廠）。興建期間遭到超級鐵颱來襲，遲至大正二年

72 林維朝，〈蔡瑞芳先生墓表〉，《文稿》（手稿本，未出版）。
73 參見陳素雲，〈新港老店鋪的門聯〉，《新港奉天宮平安報（雙月刊）》第五期（2003 年 1 月），頁 3。

（1913）始竣工營運。至於嘉義工場第一條運輸鐵道梅仔坑線，何年何時鋪設，在工場舊檔案記載完全闕失情形下，缺乏相關文獻足以考徵。林維朝的〈新高製糖會社落成式鐵道開通式祝詞〉，不難窺知梅仔坑線和大林工場是同時完成的。而由林維朝的〈新高製糖會社甘蔗品評會并鐵道全通式祝詞〉，亦可得知大莆林新港間營業線，於翌年大正三年（1914）舉行開通典禮。[74]林維朝家族提供這兩篇文章，臺灣糖業文化協會理事長陳明言，才得以完成〈糖鐵梅仔坑（小梅）線——歷史滄桑細說從頭〉（《糖業文協會訊》特刊號，二〇〇五年七月）一文，對大林梅山線、大林新港線的糖鐵史，及大林地方志提供了相當珍貴的史料，填補了一段空白的歷史。

尤難能可貴的是其自傳《勞生略歷》，所敘內容包括清末文人之求學歷程、社會治安、仕紳之事業經營，以及日軍攻臺前後的臺灣社會動態等，是研究清末臺灣社會史不可多得的第一手資料。

二、公爾忘私精神典範的建立

林維朝於大正十一年（1922），題贈時任新巷助役[75]的長

74 林維朝，〈新高製糖會社落成式鐵道開通式祝詞〉、〈新高製糖株式會社甘蔗品評會并鐵道全通式祝詞〉，《雜作》（手稿本，未出版）。並參閱（日）西原雄次郎編著，劉萬來譯，《新高製糖簡史》（雲林縣大埤鄉：臺灣糖業文化協會，2003 年），頁 125-130。

75 助役，類似今之副鄉長。今嘉義縣新港鄉於大正九年（1920）地方行政制度變更時，因與彰化縣之「新港」同名，改稱「新巷」以區別之。光

子林蘭芽一幅「公爾忘私」的書法。翌年，林蘭芽升任新巷庄長，直至昭和十一年（1936）他卸任爲止，這塊「公爾忘私」的匾額一直掛在新巷庄役場庄長室[76]，長達十三年之久。光復後，民國三十五年（1946），林蘭芽奉命接收嘉南水利組合，出任嘉南大圳水利協會理事長，這塊「公爾忘私」的匾額又隨之攜帶至臺南任所，作爲立身處世之座右銘。

後來林蘭芽又將這塊「公爾忘私」書法匾額，轉贈給頭角日見崢嶸的侄兒林金生，一直是屹立政壇數十年的林金生奉爲圭臬的精神指標。林金生晚年找人將之刻成木製橫匾，給四子一人一幅作爲家訓。

1987 年 6 月 14 日，享譽國際的雲門舞集創辦人林懷民率領該團回到故鄉新港演出，並將演出費 15 萬全數捐出，在陳錦煌醫師出面號召，新港鄉親的熱心贊助下，於同年 10 月 17 日成立全國第一個鄉鎮級的文教基金會。創會董事長陳錦煌醫師不斷在思索，希望挖掘出一項新港人的傳統美德，作爲立會宗旨。有感於眾多義工無私無悔的奉獻精神，他回憶起林金生客廳上高高懸掛的一塊匾額「公爾忘私」。如今，林懷民分到的那幅，正高懸在新港文教基金會一樓最醒目的

復後，彰化縣新港改爲「伸港」，嘉義縣新巷恢復舊名「新港」。林蘭芽自大正九年（1920）十一月擔任新巷助役，至大正十二年（1923）十一月升任新巷庄長，計擔任新巷助役三年。【參閱洪敏麟，《台灣地名沿革》（臺中：臺灣省政府新聞處，1985 年再版），頁 117，及林蘭芽，〈履歷書〉】。

76 新巷庄役場庄長室，即新港鄉公所鄉長室。

地方，作為與義工們共勉的實踐動力。

林維朝曾孫林懷民談到「公爾忘私」，這四個大字的林家家訓對他的影響：

> 「公爾忘私」是我童年震耳欲聾的庭訓，重得讓人喘不過氣來。在成長過程裡我幾度三番努力從意識中洗去那四個字，卻愈陷愈深。
>
> 家父晚年，找人將那書法的家訓刻成木製的橫匾，弟兄們一人一幅。我分到的那幅如今掛在新港文教基金會的玄關。
>
> 曾祖父生前經營多項事業，但因為為人作保，晚年債務沈重，家父常在除夕圍爐的年夜飯時，追憶曾祖父彌留時的遺言來激勵我們：
>
> 「我沒有留下財產給你們，只有欠債。但是你們儘可拿林維朝這三個字作你的本錢，去打拚你自己的一生。」
>
> 年近花甲的我，這些字語，不再給我壓力，只感到一種親切的鞭策，一份溫暖的篤定，因而滿懷感激。[77]

如今，新港文教基金會已經滿 21 週年了，一直扮演著移風易俗的推進力量，持續深耕新港社區。參與的義工群包括農夫、工人、小生意人，有夫婦兩地的鄉下醫師，有艱苦

---

77 林懷民，〈序二：公爾忘私 — 追尋曾祖父林維朝先生〉，陳素雲主編，《林維朝詩文集》，頁八~九。

出身的企業家，這群被評論家南方朔稱爲「集體英雄」[78]的可愛可敬義工們，爲營造一個美好的家園而努力。

2003 年得到社區總體營造最高榮譽的總統文化獎，這些都是新港文教基金會深受肯定的里程碑，也是義工們汗水澆灌而成的甜美果實。所有的辛勤耕耘，都是爲了打造一個人文藝術之鄉的理想而奮鬥。而新港文教基金會義工們這種「公爾忘私」的精神，亦隨著非營利機構如雨後春筍般紛紛設立而得以發揚光大，亦顯現臺灣人美好的精神典範的再度昂揚。

78 南方朔，〈〈序〉新港 — 新的英雄史詩〉，廖嘉展，《老鎮新生》（臺北：遠流出版公司，1995 年），頁 14。

結　論

林維朝西渡大陸的決定，是幾經遲疑而後才付諸實行，足見其拔離鄉土之艱難。迨西螺、土庫、嘉義縣城等地相繼陷落，覆巢之危已逼在眉睫，事已不可為，才下定決心與家人一同西渡大陸。當他離開臺灣時，雲嘉一帶已是漫天烽火，無所遁逃於日軍的天羅地網。

基於臍帶血脈相連與文化認同的祖國情懷，許多臺灣士紳紛紛選擇回大陸，當時臺灣人內渡的相當多，稱之為「走日本仔反」或「走番仔反」。可見當時臺灣士人將清領的中國視為母國，即使是遭受母國不公平的對待（割讓），仍思回歸母國的懷抱。然而即使是回到祖先曾經落籍的祖籍地，仍覺得身處異鄉；加上不幸又遭逢一八九四年以來大陸東南沿海的鼠疫大流行，慈母命喪客居地；以及在大陸謀生困難，端賴臺灣供給，生活困頓至極，更遑論參加科舉，光耀門楣、一展抱負的宿願全然幻滅。林維朝這才驚覺到那塊生於斯、長於斯的蕞爾小島，才是自己安身立命的歸趨所在，故寧願冒著異族統治可能遭迫害的陰影，舉家遷回臺灣，選擇擁抱鄉土、深耕鄉土、守護鄉土。

身處乙未割臺這個大變動而多難的時代，林維朝先是選擇西渡大陸避禍，甚至想在大陸落籍，有著與鄉土決絕的意志；後來卻甘冒異族統治可能被迫害的陰影，選擇回到臺灣，縱然在異民族統治下亦在所不惜，更有著十足的悲壯情懷。這兩次的大抉擇，均影響其家族的興衰甚鉅，亦是許多臺灣士紳的共同遭遇。

林維朝幾乎終其一生均保留著漢族思維，而其心中眷戀的鄉土卻是生於斯、長於斯的故鄉新港，大正六年（1917）他回大陸祖籍地東山為亡母拾骨：「墓門木拱幾星霜，秋雨瀟瀟灑白楊；拾取遺骸歸梓去，不勝悽愴斷人腸。」（〈發母氏壙塋〉）[1]落葉歸根，母氏的遺骸仍須回鄉安葬，才得以入土為安。

然而故鄉雖然撩人遙思，腳下立足的臺灣島，才是真正的存有。祖籍所在的鄉土，是縹緲夢幻的鄉土，寓有人文傳統的原鄉；而此島則是子子孫孫賴以定根、安身立命之所在，孰重孰輕，不言可喻。當林維朝選擇回臺灣深耕地方，並在異民族下堅持不懈地保存漢學薪火及漢族記憶時，臺灣與中國的主從關係已經釐清了。

對於臺灣人這種出於對土地的眷戀，而情願苟安於受宰制的命運，當代臺灣文學評論家彭瑞金曾有所批評：「漢系移

1 林維朝，〈發母氏壙塋〉，陳素雲主編，《林維朝詩文集．怡園唱和集》，頁358。

民只抱土地，不抓主權的樸實的生存信仰成為日後臺灣人性格上的致命傷，成為臺灣無盡苦難命運的總源頭。」[2]

然而這類的評論，對飽受戰亂、歷經滄桑如林維朝等傳統文人來說，無乃太過嚴苛。如何竭盡一己之力，護衛、深耕鄉土，一直是他們念茲在茲的使命感；如何堅守及傳承漢學薪火，亦是他們永不稍懈的職志。這種看似矛盾的本土意識與中國意識的兩盞火苗，經過長時期辯證釐清下，星星之火已逐漸澎湃成形，產生出日後以臺灣為主體性的主流思考。乙未割臺，是臺灣人「臺灣意識」萌芽的起點。臺灣、大陸的去就抉擇之間，臺灣人臺灣意識素樸的雛形已然成型。

傳統文人如林維朝者流之所以有這麼繁複多重的性格，貌似屈服於日本的殖民統治下，然仍堅持著漢族思維，自有其迤邐求生與曲折反抗的意志在，正所謂老子所說的「柔弱勝剛強」，呈現著似柔弱實堅強的韌性，這也是許多臺灣傳統文人所選擇的道路。

---

2 彭瑞金，《台灣文學探索》（臺北：前衛出版社，1995 年），頁 206。

林維朝，攝於 1900 年，時年 33 歲。此張照片是目前新港現存最老的照片。（林正中提供）

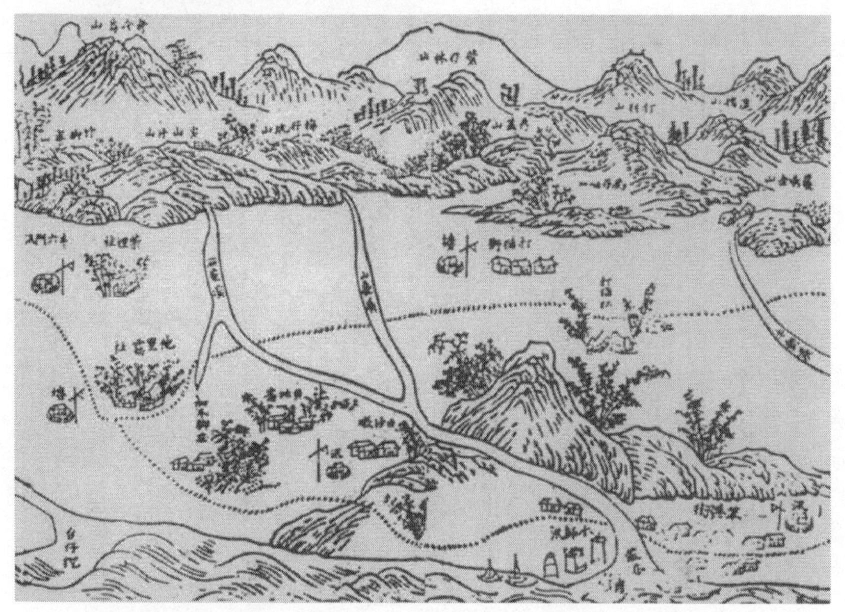

清康熙末年笨港的發展。資料來源：周鍾瑄，《諸羅縣志》

乾隆末年的笨港地區。（國立中央圖書館臺灣分館提供）

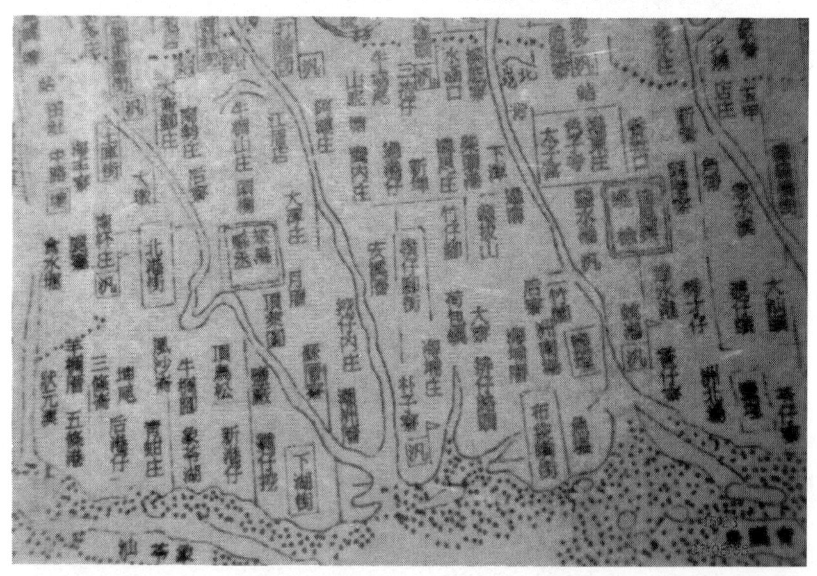

1879 年夏獻綸所繪的「臺灣前後山輿圖」，清楚標示「笨港縣丞」位於笨港溪（今北港溪）以南，即今之「新港」。

（國立中央圖書館臺灣分館提供）

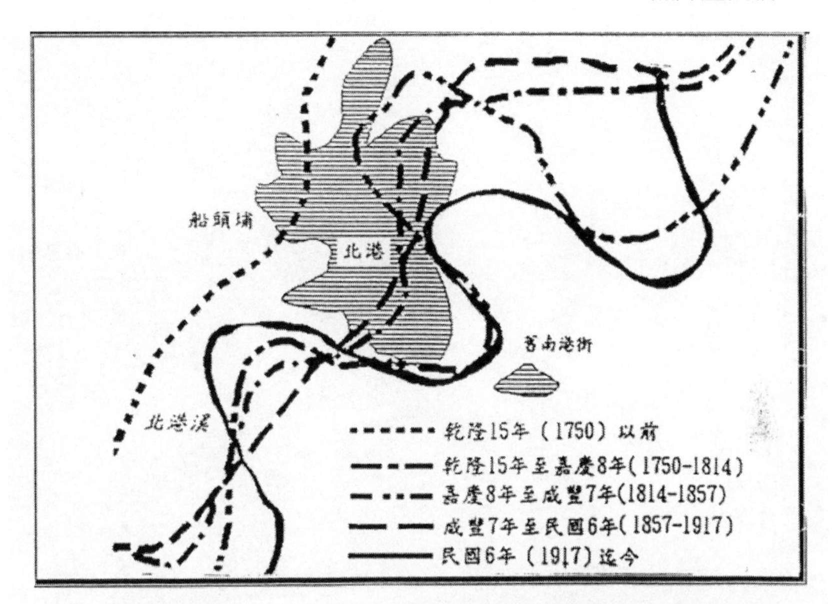

十八世紀中葉至二十世紀初北港溪河道變遷圖。資料來源：張瑞津等，〈臺灣西南部嘉南海岸平原河道變遷之研究〉

1850 年刻立的「重修水仙宮碑記」，記載新港水仙宮（二級古蹟）在清嘉慶年間，笨港曾發生嚴重大水災。（陳素雲攝）

北港溪出土的古笨港南無阿彌陀佛石碑。（林正中攝）

北港溪河床出土的古笨港清代古井底部。（林正中攝）

古笨港遺址出土的陶瓷器。(林正中攝)

「笨新南港義塚碑記」於 1842 年刻立，此珍貴石碑證明新港原名笨新南港。(林英敏攝)

新港板頭厝長天宮前古笨港縣丞署的門臼石，見證著笨港的沒落。（陳素雲攝）

大興宮後方的笨港縣丞署仍保存兩扇清朝中葉的木雕大門，刻工相當精美。（陳立安攝）

1990 年 6 月笨港媽祖文教基金會出版《笨港史的真象》，指稱「笨港毀滅論」是新港奉天宮於 1967 年才捏造出來的偽史。

林維朝曾孫媳陳素雲主編的《林維朝詩文集》，於 2006 年 11 月由國史館出版。（陳素雲提供）

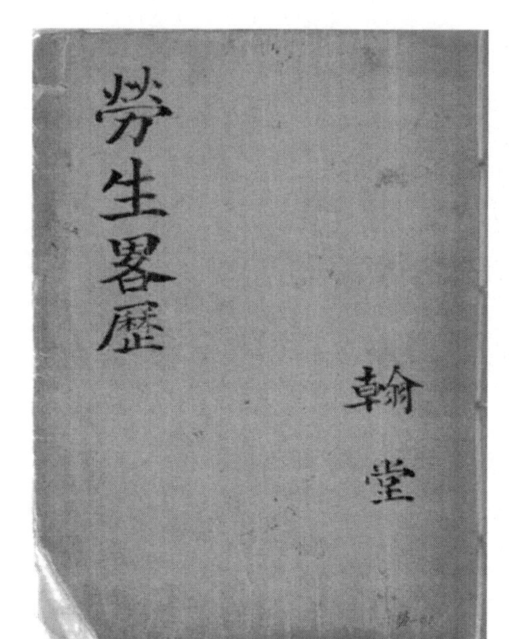

林維朝，《勞生略歷》
（林正中提供）

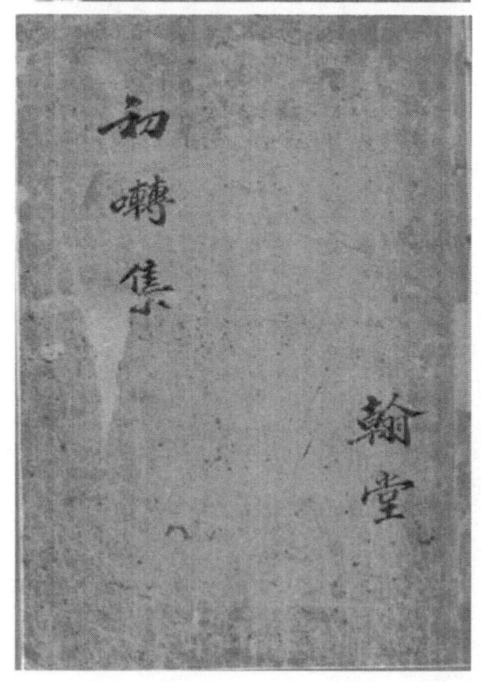

林維朝，《初囀集》
（林正中提供）

林維朝編著，《怡園唱和集》（林正中提供）

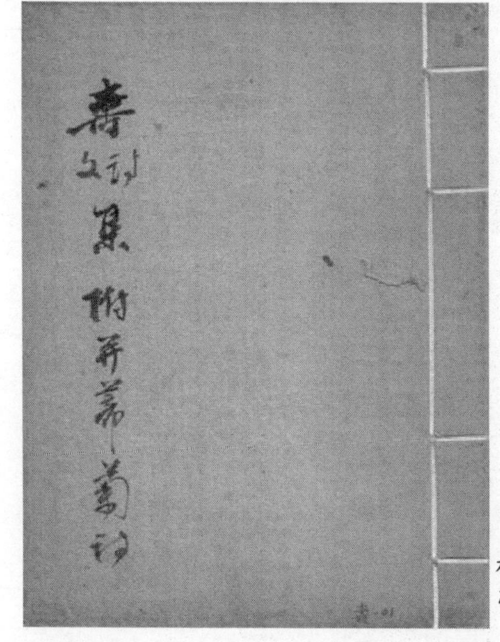

林維朝編，《壽詩文集附并蒂菊詩》（林正中提供）

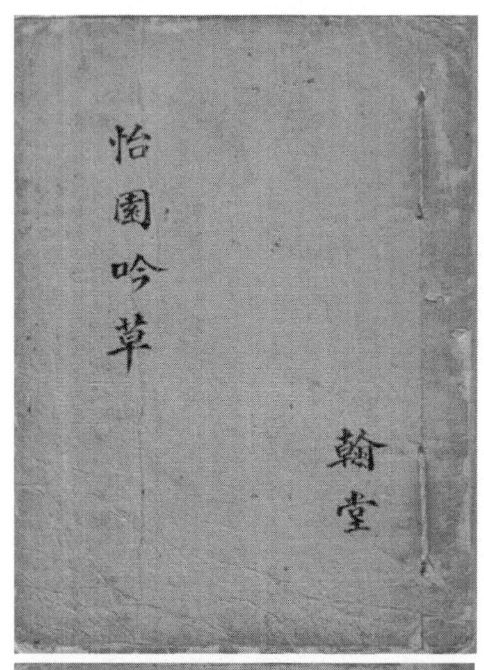

林維朝，《怡園吟草（一）》（林正中提供）

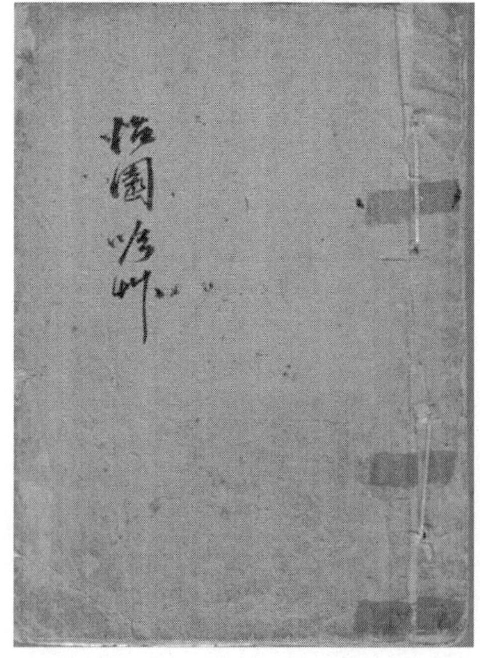

林維朝，《怡園吟草（二）》（林正中提供）

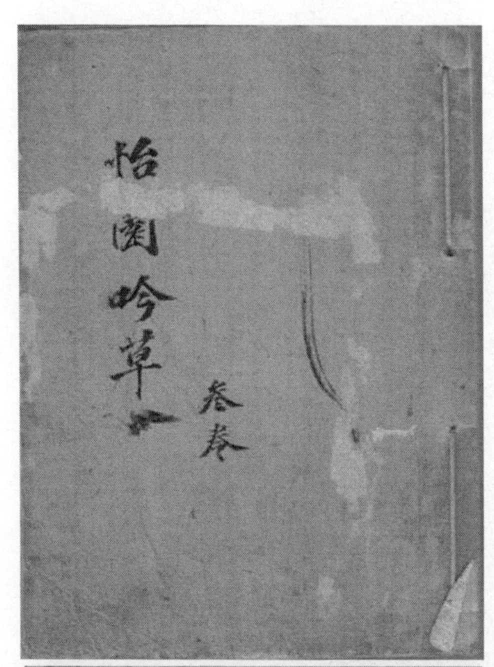

林維朝，《怡園吟草（三）》（林正中提供）

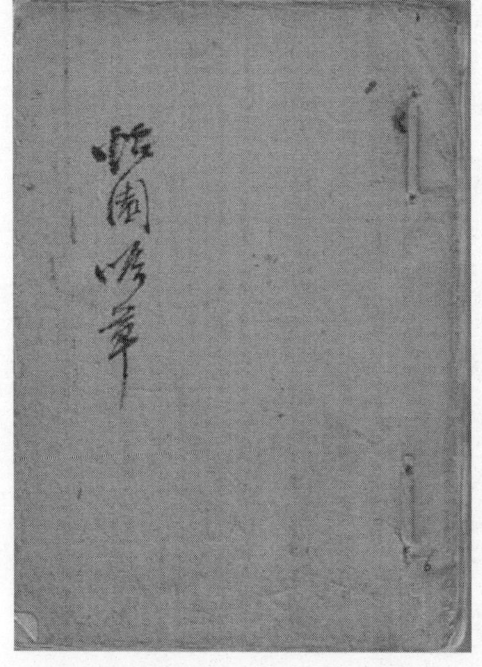

林維朝，《怡園吟草（四）》（林正中提供）

林維朝，《雜作》
（林正中提供）

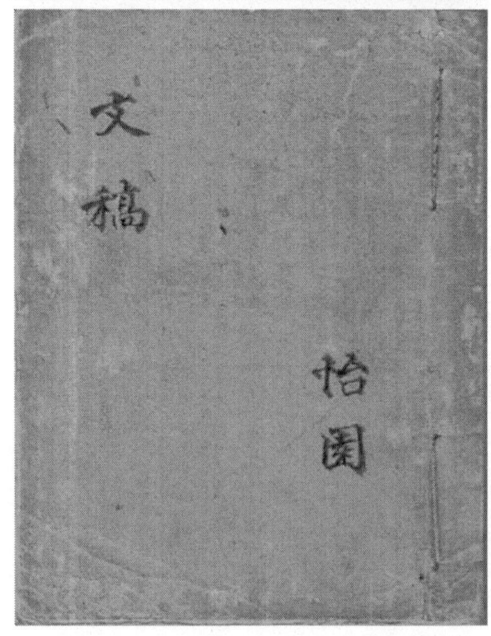

林維朝，《文稿》
（林正中提供）

約攝於 1910 年，是現存最早的林維朝故居照片，軒亭仍為單間。（林正中提供）

林維朝的家族照，攝於 1925 年。後排中坐者為林維朝夫婦，左一為次子林開泰，左二為長子林蘭芽，第二排戴帽子的孩童為孫子林金生（林開泰長子，林懷民之父）。（林正中提供）

攝於 1928 年林維朝六秩晉一大壽，背景為林維朝故居，廳堂前的軒亭已擴建為三間起的高聳宏偉建築。(林正中提供)

1939 年林維朝長子林蘭芽之次子林光前結婚典禮，攝於林維朝故居。1947 年二二八事件，任職嘉農的林光前無辜罹難，是林家的痛，亦埋下林懷民創作《家族合唱》舞碼的種苗。
(林正中提供)

清光緒年間已存在的門樓，「西河衍派」的林姓堂號是林維朝親筆所題。（陳素雲攝）

馬路未拓寬前，百年蓊鬱的松柏老樹猶在。古厝未經破壞前的典麗優雅，至今仍令人縫綣眷戀，再一次凝眸，已成了永遠的鄉愁。（陳素雲攝）

林維朝故居門聯是林維朝親撰。(陳素雲攝)

1989 年 6 月 24 日晚上，新港文教基金會在林維朝故居舉辦「古厝國樂在新港」。(陳素雲攝)

前交通部長、內政部長林金生特別兼程趕回新港，在致詞時，充滿感情地說，他是在這棟古厝出生的。(陳素雲攝)

1990 年中正路拓寬為 15 米，南門樓斷肢殘臂，遷移至北邊的一隅。漂泊的古蹟，令人心碎！（陳素雲攝）

1999 年九二一芮氏規模 7.3 級與一〇二二芮氏規模 6.4 級大地震，林維朝故居嚴重受損。(陳素雲攝)

古意盎然的磚砌斗子牆是清朝遺物，然因屋脊開裂，可能整片牆崩塌摧毀，古厝的美麗與哀愁，令人心顫與不捨。
(陳素雲攝)

九二一滿周年，林維朝故居終於可以救危扶傾，再度軒昂屹立。（陳素雲攝）

舊林家宗祠為閩南式建築。中立者為大陸五社林族親竹房 22 世林文謀，他於 1949 年 10 月來臺探親，並於林家宗祠前留影，其左為林蘭芽。（林正中提供）

林家宗祠於 1927 年落成，「林家宗祠」四字為林維朝親撰。（林英敏攝）

林家宗祠雕龍畫棟，彩繪精美。右三為林維朝長子林蘭芽。
（林正中提供）

林家宗祠神龕兩側為春大社後裔林維朝親筆撰寫。（林英敏攝）

1951 年，林維朝次子林開泰的長子林金生當選嘉義縣第一屆縣長，獻匾林家宗祠。（陳素雲攝）

林開泰古宅於 1932 年落成，是林維朝為次子林開泰所建的宅第。古宅的特色是它的門板、窗戶、窗櫺均是上等檜木，且均保留木材原色。（陳素雲攝）

林開泰古宅懸掛的橫匾及對聯是林維朝親撰，林家子孫視如珍寶。左二為維朝次子林開泰之夫人吳秀春。（林英敏攝）

林維朝曾祖父林羨的墓。林羨是春大社後裔十八世，遷臺第一代的開臺祖。（陳素雲攝）

開臺祖墳後方的「祭風煞」石敢當。(陳素雲攝)

林維朝祖父母(十九世)、父母(二十世)的墳墓。(陳素雲攝)

1941年梅二社將十七、十八、十九、二十、廿一、廿二世共十一位先人拾骨合葬於新港東頭塚，祭祖後五大房子孫拍照留念。（林玉川提供）

蘭三社祖籍地為漳州府龍溪縣二十九都籃山下尾社，墓碑上額刻著「籃山」二字頗為罕見，寓含有不忘本源的意涵。（林英敏攝）

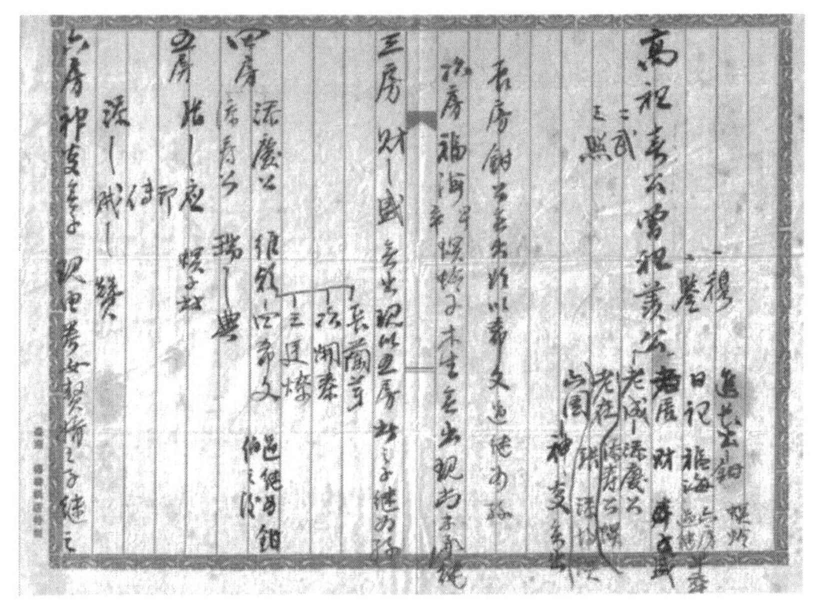

林維朝所撰的春大社族譜簡稿。未完成族譜撰寫是他生平一大憾事。他的曾孫媳陳素雲於 2003 年 3 月完成《新港五社林族譜初稿》並自費出版，完成了林維朝未了的心願。（林正中提供）

林維朝與妻洪內理之墳墓。墓前之對聯乃其門生洪大川所撰。（陳素雲攝）

←↑春大社林松茂（林懷民四叔）至大陸尋根溯源，不但尋訪東山祖籍地，更遠溯至林姓始祖比干的開基地。（林松茂提供）

林懷民以父祖輩口耳相傳的五社林遷移史為靈感泉源創作出「薪傳」舞碼，中外馳名。（雲門舞集提供）

1906 年大地震，新港奉天宮前殿倒塌；新民路兩側房舍斷壁殘垣。（國立中央圖書館臺灣分館提供）

新港登雲書院前門中僅存的西側小門。攝於 1905 年。
（引自《台灣十大災害地雲圖集》）

新港登雲書院後房側面牆壁龜裂，建築物向東傾斜。攝於 1905 年。 （引自《台灣十大災害地震圖集》）

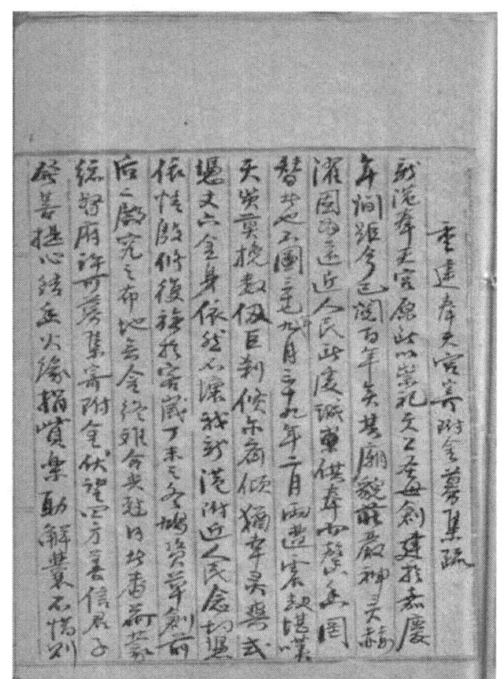
重建奉天宮寄附金募集疏

1906 年大地震後，林維朝親撰〈重建奉天宮寄附金募集疏〉，向全島人士募款。（林正中提供）

1910 年拍攝的奉天宮正面照片。（奉天宮提供）

1917 年奉天宮重修完成，特舉行落成典禮。（蔡玉村提供）

1928 年 12 月 1 日新港奉天宮聖壽牌奉安紀念。第一排左四為新巷（今新港）庄長林蘭芽，左五為林維朝。（林正中提供）

新港奉天宮三川門的石獅及石刻浮雕麒麟。（陳素雲攝）

新港奉天宮鰲魚雀替。（陳素雲攝）

新港奉天宮憨番舉大杉。
（陳素雲攝）

新港奉天宮清朝中葉的
龍柱，雕工簡潔有力。
（陳素雲攝）

新港奉天宮三川殿龍堵瀛社社長洪以南秀才題詩。(陳素雲攝)

新港奉天宮三川殿虎堵嘉義秀才徐杰夫題詩。(陳素雲攝)

元宵節媽祖遶境是新港奉天宮重要節慶活動。(奉天宮提供)

新港奉天宮 1622 年來臺的「船仔媽」，被尊稱為「開臺媽祖」。
(顏新珠攝)

三級古蹟新港溪北六興宮（陳素雲提供）

六興宮奉祀的「黑面三媽」。
（六興宮提供）

二級古蹟北港朝天宮。(陳素雲攝)

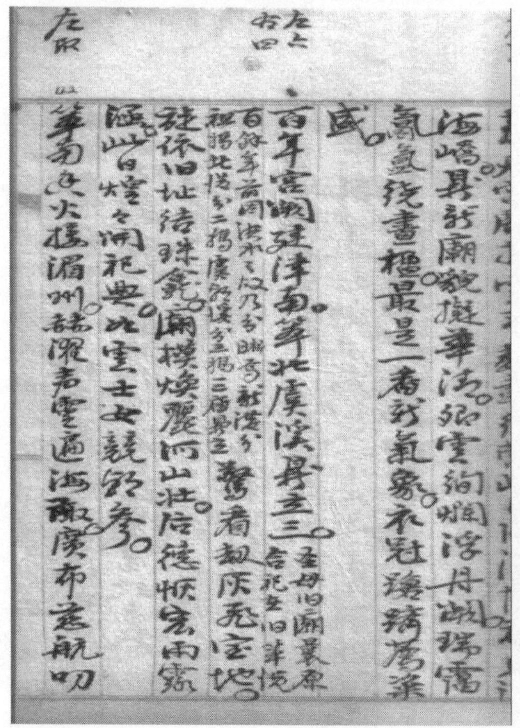

1917 年,林維朝詩稿留下了笨港天妃廟遭洪水沖毀,一分為三(按:奉天宮、朝天宮、六興宮)之記事。(林正中提供)

清嘉慶年間洪水氾濫，笨南港居民大規模遷徙，大興宮是新港東山再起的第一座廟宇。（陳素雲攝）

三級古蹟新港大興宮的門聯是林維朝親撰，林蘭芽所書。（陳素雲攝）

文昌國小內「新建登雲書院喜捐緣金名碑」，見證登雲書院的存在。（林正中攝）

有百餘年歷史的雅樂團「鳳儀社」在林維朝故居演奏。（劉振祥攝）

舞鳳軒是新港唯一傳承至今的北管戲劇團。（劉振祥攝）

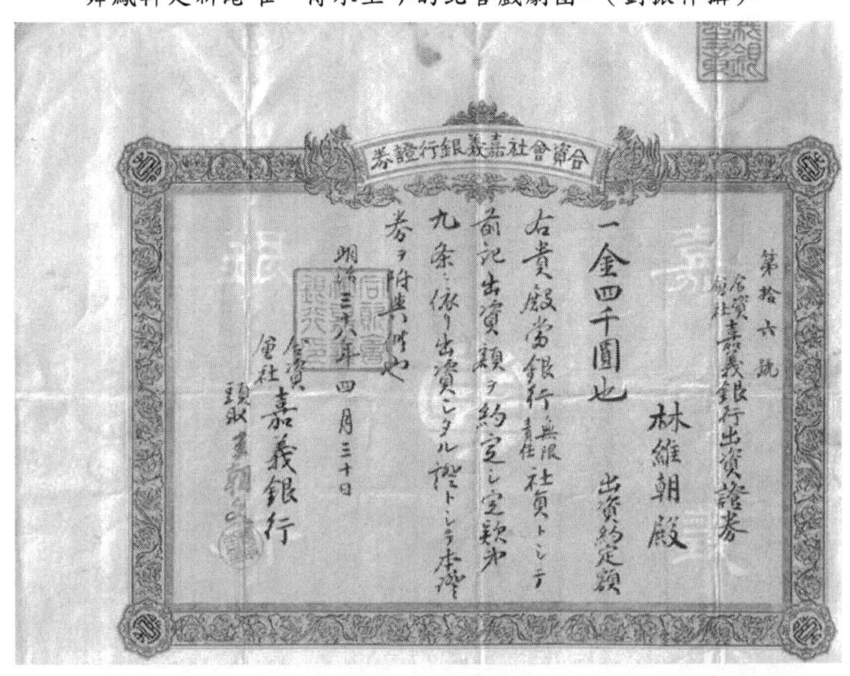

合資會社嘉義銀行證券

第拾六號

合資會社嘉義銀行出資證券

林維朝殿

出資約定額

一金四千圓也

右貴殿當銀行無限責任社員トシテ前記出資額ヲ約定シ定款第九条ニ依リ出資シタル證トシテ本證券ヲ附與[illegible]也

明治三十八年四月三十日

合資會社嘉義銀行

頭取 [illegible]

1905 年林維朝出資四千圓，為嘉義銀行（今第一銀行）無限責任股東。（林正中提供）

1913 年 8 月嘉義銀行對外停止營業，時任副頭取的林維朝力挽狂瀾，拯救瀕臨倒閉的嘉義銀行。圖為林維朝攝於 1913 年 12 月，時年 46 歲。（林正中提供）

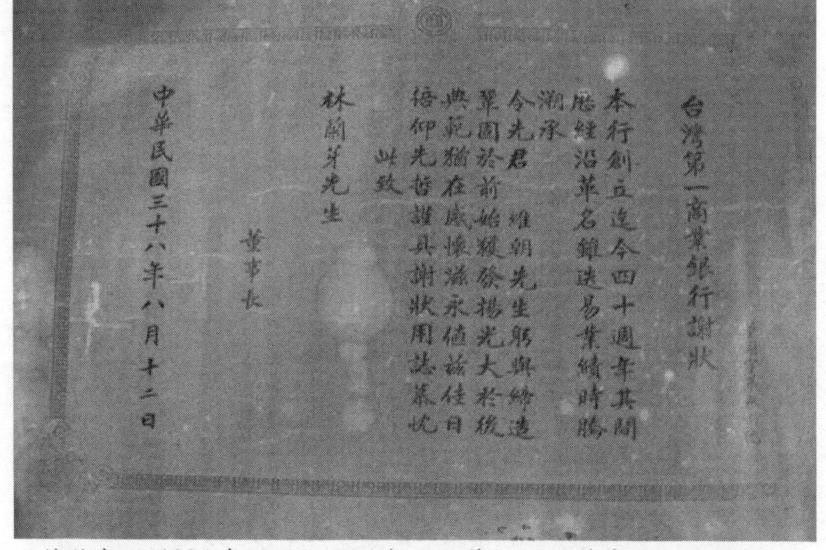

台灣第一商業銀行謝狀

本行創立迄今四十週年其間
歷經沿革名稱迭易業績時騰
潮承
今先君　維朝先生躬與締造
肇圖於前始艱發揚光大於後
典範猶在感懷滋永値茲佳日
倍仰先哲謹具謝狀用誌慕忱
此致
林蘭芽先生

董事長

中華民國三十八年八月十二日

林維朝於 1934 年過世。1949 年 8 月第一銀行董事長仍致謝狀予維朝之長子林蘭芽，感謝其父對第一銀行的貢獻。（林正中提供）

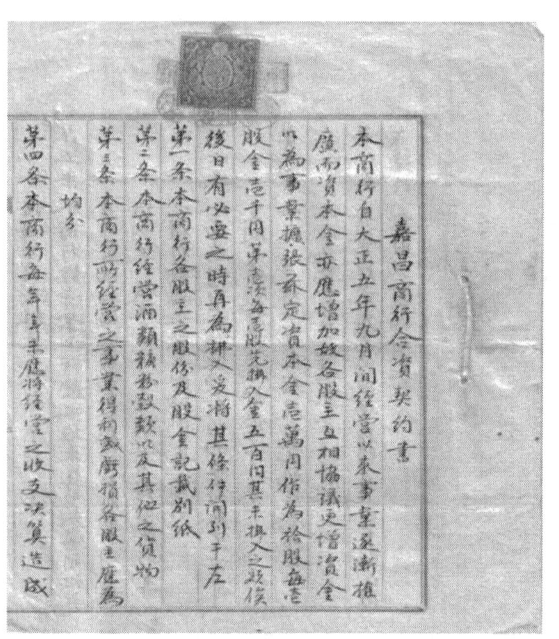

嘉昌商行合資契約書

本商行自大正五年九月開始經營以來事業逐漸推
廣而資本金亦應增加故各股主互相協議更增資金
以為事業擴張爰定資本金壹萬円作為拾股每壹
股金壹千円第壹次每壹股先拂入金五百円其未拂入之額俟
後日有必要之時再為拂入爰將其條件開列于左
第一条　本商行各股主之股份及股金記載別紙
第二条　本商行經營酒類[illegible]以及其他之貨物
第三条　本商行所經營之事業得有利益應攤各股主應為
均分
第四条　本商行每年壹半應將經營之收支決算造成

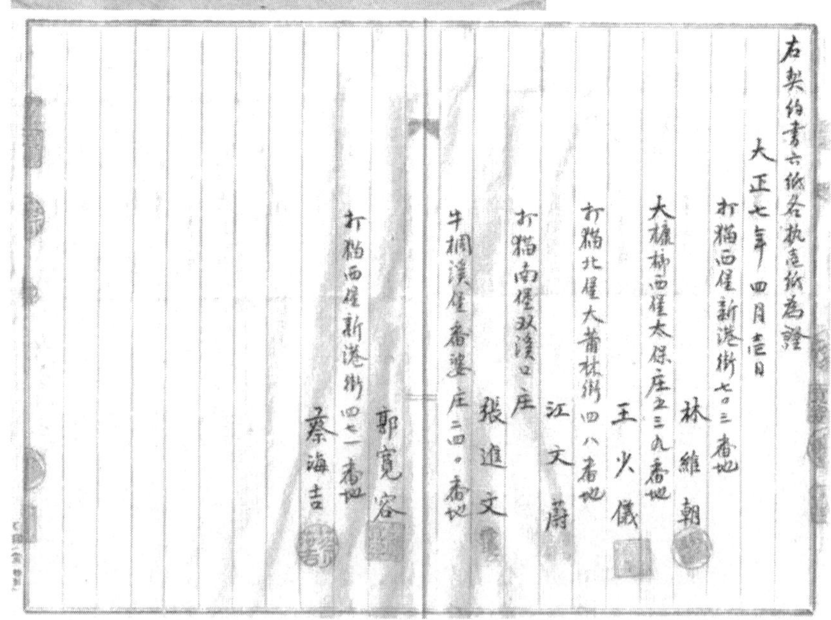

右契約書六紙各執壹紙為證
大正七年四月壹日
打貓西堡新港街七〇三番地
林維朝
大槺榔西堡太保庄五三九番地
王火儀
打貓北堡大莆林街四八番地
江文蔚
打貓南堡雙溪口庄
張進文
牛稠溪堡番婆庄二四〇番地
郭寬容
打貓西堡新港街四七一番地
蔡海吉

嘉昌商行合資契約書。(林正中提供)

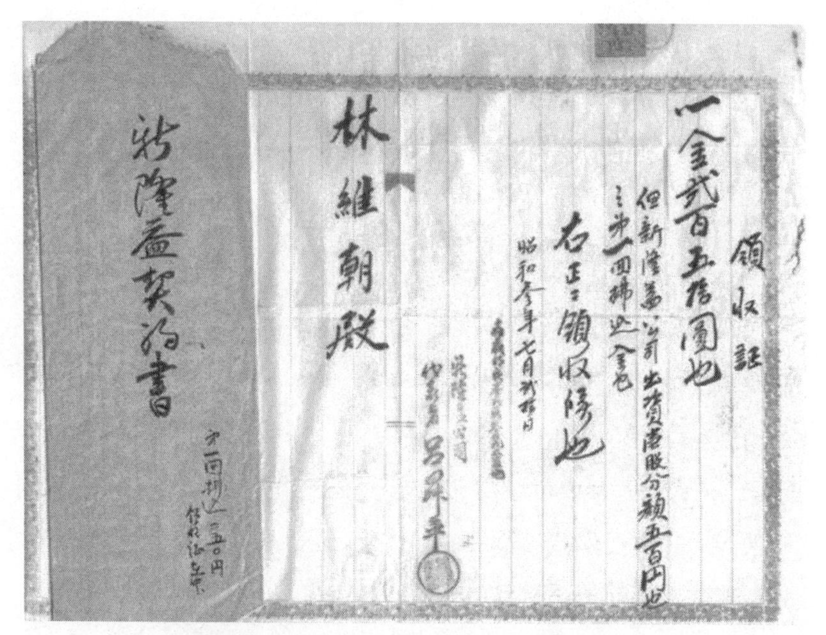

新隆益契約書

領收証

一金貳百五拾圓也

但新隆益公司出資股分額五百円也

之第一回拂込金也

右正ニ領收候也

昭和參年七月卅拾日

新隆益公司

代表者　呂

林維朝殿

新隆益公司相關文書。（林正中提供）

林維朝家族經營的德美瓦窯。圖為燒炭師一家人在瓦窯前合影。（施保護提供）

1922 年施行酒類專賣制度，林維朝經營的源泉酒場改組為源泉公司，除了醬油工場外，也兼營染布坊。圖為股東與員工在吳服部（小賣部）前合影。（林川源提供）

背景為源泉醬油工場。圖為股東與員工合影。圖中的小孩後來均成為新港醬油產業的中堅份子。（林川源提供）

林維朝父子主導的桂香齋糕餅公司，曾一舉打響了新港飴全臺甚或海內外的知名度。圖為日治時期桂香齋的廣告圖樣。（林英敏提供）

桂香齋的木製糕仔模。（莊志仁提供）

1906 年嘉義大地震，登雲書院夷為平地，林維朝在古厝怡園開辦私塾，延續漢學命脈，1922 年並成立穀音吟社。圖為穀音吟社成員合影於古厝怡園，第一排坐者右四為林維朝。（蔡玉村提供）

在異民族統治下，林維朝（左二）時與友人在栽滿菊花的怡園吟詩唱和，相濡以沫。（林正中提供）

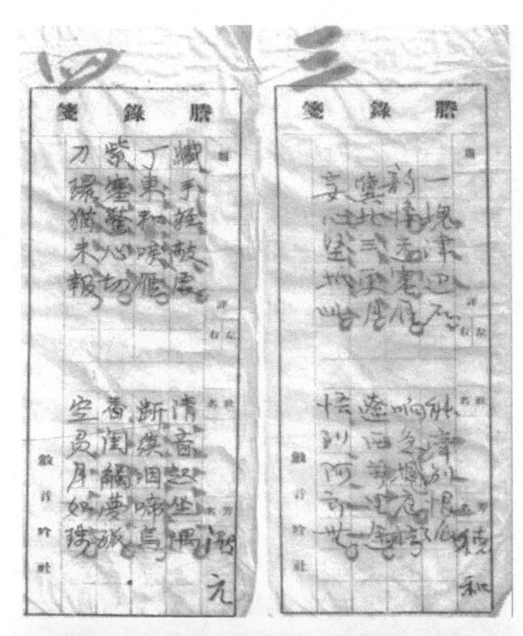

轂音吟社徵詩比賽，張李德和、王瀫沅分獲第三、四名。（林正中提供）

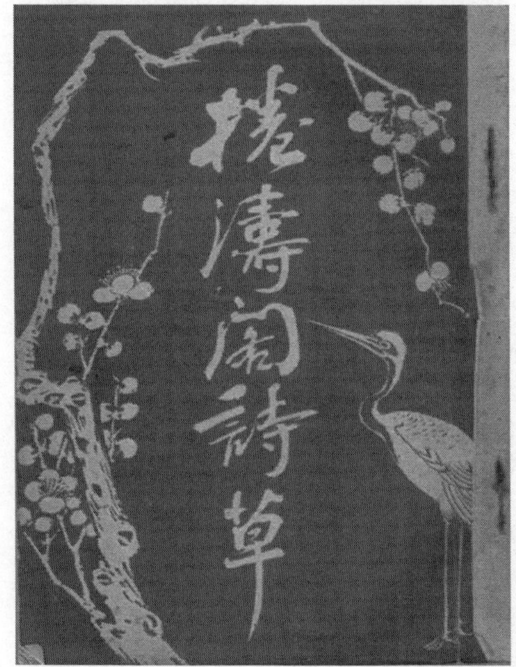

施梅樵所贈的《捲濤閣詩草》（1926 年出版）（林正中提供）

詩報

文苑

騷壇消息

林維朝詩稿時常登載於《詩報》。(林正中提供)

林維朝所撰的〈蔡瑞芳先生墓表〉。(林正中提供)

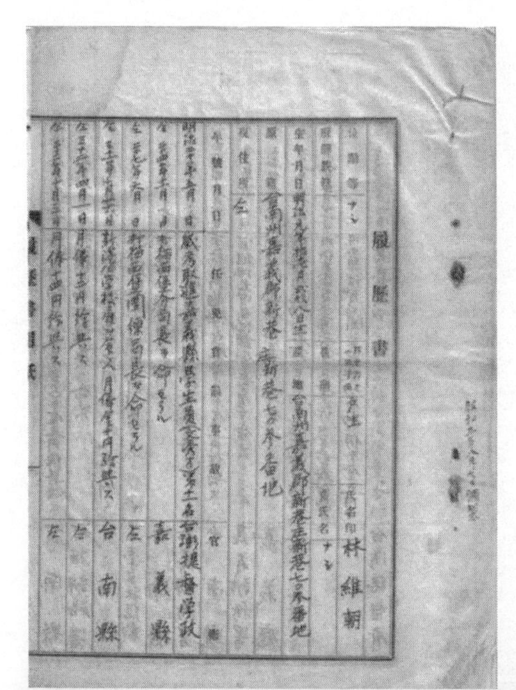

履歷書

林維朝

臺南州嘉義郡新巷庄新巷七百參番地

林維朝〈履歷書〉。
（林正中提供）

建於 1926 年的新港大潭林通喜古厝，門樓之「西河衍派」堂號及門聯為林維朝親撰。（陳素雲攝）

林通喜古厝正廳柱聯渾厚蒼勁的書法，是林維朝所撰。（陳素雲攝）

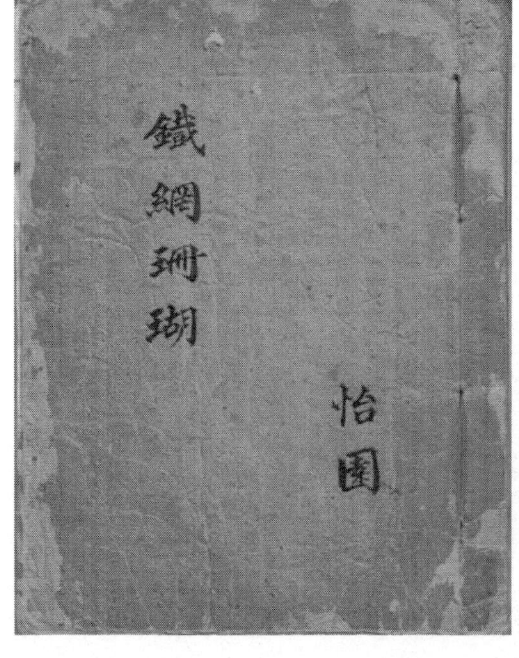

林維朝親自教導兒子詩文，《鐵網珊瑚》乃其長子林蘭芽將父親所教的古詩謄錄成冊。（林正中提供）

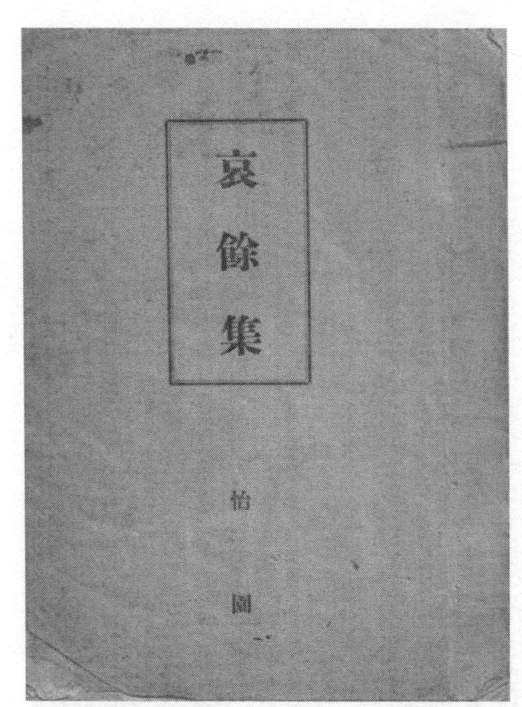

1934 年林維朝過世，其知交好友紛致輓聯、輓詩、祭弔文。長子林蘭芽將之編纂成《哀餘集》。
（林正中提供）

林維朝出殯時，道路兩旁都有人擺路祭。（徐仁綱提供）

林維朝出殯時，各界致悼的輓聯、白幡滿街飄揚。(徐仁綱提供)

1987 年林懷民（第二排中）率雲門舞集首次返鄉公演。參拜媽祖後與新港各界仕紳合影。(新港文教基金會提供)

林金生晚年將林維朝所撰的「公爾忘私」找人翻刻四幅，送給四子一人一幅作為林家家訓。林懷民分到的那幅，如今掛在新港文教基金會一樓大廳最顯眼的地方，作為基金會的精神典範。(陳素雲攝)

林懷民家族贈送新港文教基金會「維泰號」圖書巡迴車，推廣偏遠地區讀書風氣。(陳素雲攝)

新港國小學生到林維朝故居鄉土教學。（陳素雲攝）

林維朝年譜

同治七年
（西元一八六八年）　一　歲　十一月廿八日寅時，出生於嘉義新港，父林添慶、母江寬柔年方十九歲。林維朝的曾祖父林羨，於清乾隆年間，由福建省漳州府龍溪縣東山村渡海來臺，定居笨港；後因嘉慶年間，洪水氾濫，故遷居新港。

同治十三年
（西元一八七四年）　七　歲　從新港街塾師林逢其授業。讀蒙經、論語、孟子上編。

△三月廿二日，日軍在社寮地方登陸，爆發「牡丹社事件」。日本藉口五十四名琉球人在南臺灣被原住民殺害，出兵攻打南臺灣。

△四月十四日，清廷命沈葆楨為欽差大臣，辦理臺灣等地海防及各國事務。「牡丹社事件」改變了清帝國消極的治臺政策。

△七月廿五日，沈葆楨籌建「億載金城」砲臺。

△九月廿二日，中日雙方就牡丹社事件簽約，中國承認日本的軍事行動為「保民義舉」，賠償軍費五十萬兩；日本則承諾自臺灣撤兵。

光緒元年
（西元一八七五年）　八　歲　讀孟子下編、毛詩。

△元月十二日，清廷命沈葆楨負責經理臺灣的開山撫番事務，沈葆楨於

二月十三日抵臺。
△沈葆楨奏請朝廷取消來臺之渡海禁令。清廷正式弛內地人民入臺耕墾例禁。
△十一月十四日，丁日昌繼任福建巡撫。
△十二月二十日，地方行政區重劃，增設臺北府、基隆廳等，全島共分為二府、八縣、四廳。

光緒二年
（西元一八七六年） 九 歲 讀大雅、易經。
△八月廿四日，基隆煤礦開始以機器採煤。

光緒三年
（西元一八七七年） 十 歲 轉就新港街秀才楊棟樑授業，讀四書註。
△二月八日，丁日昌奏請將上海淞滬鐵路拆除後的材料運往臺灣，以供建築鐵路之用。
△臺南府城至旗後的電報線完工。

光緒四年
（西元一八七八年） 十一歲 讀四書註、八股文。學作破題、題承、小講。
△六月十九日，加禮宛等七社原住民襲擊駐紮新城的清軍。
△九月一日，福建巡撫吳贊誠渡臺籌辦「剿撫生番」事宜。

光緒五年
（西元一八七九年） 十二歲 讀尙書。文作小講、提比。
夏獻綸繪的「臺灣前後山輿圖」，清楚標示「笨港縣丞署」在笨港溪南岸，即今之「新港」。
△六月廿五日，林維源因捐款五十萬元，獲賞三品頭銜及一品封典。
△廢艋舺縣丞。

光緒六年
（西元一八八〇年） 十三歲 讀禮記。文初作全篇。

光緒七年
（西元一八八一年）　十四歲　讀左傳古文。

△四月八日，清廷調岑毓英為福建巡撫，劉璈為臺灣道。

△七月十八日，「琛航」、「永保」二艘輪船開始航行福建與臺灣之間，運送官兵及文報，同時搭載民間客貨。

△閏七月十八日，岑毓英抵臺，察看各地情形，決定建設大甲溪橋。

光緒八年
（西元一八八二年）　十五歲　好縱覽小說，並好圍棋、絃管、歌曲，又好以銃器射擊禽鳥。

十二月，李時英出任笨港縣丞。氏爲貴州貴筑監生。

△加拿大基督教長老教會傳教士馬偕，擇址於淡水辦學，五月四日，理學堂大書院落成，命名為「牛津學堂」，是外人在臺灣推廣新式教育之濫觴。

光緒九年
（西元一八八三年）　十六歲　學作試帖五言詩。八股文頗覺精進。馳騖於絃管、歌曲、跑馬、打銃之事。

△三月廿四日，鵝鑾鼻燈塔落成啟用。

△十二月十二日，淡水女學堂落成，首屆學生三十四人，全部都是宜蘭的平埔族。

光緒十年
（西元一八八四年）　十七歲　春間，同摯友林燦廷、林旭初赴縣科試，三月歸來。欲再往郡赴考，適染霍亂之症，抱病月餘，因不果往。

△清廷命淮軍名將劉銘傳督辦臺灣防務，於閏五月二十四日抵臺。

△清廷為了越南主權問題，與法國開戰。六月十五日中法戰爭波及臺灣。法國軍艦砲擊基隆，毀社寮島

	砲臺。 △七月三日，法軍突襲馬尾港，福建水師全軍覆沒。 △八月十三日，法將孤拔於仙洞登陸，與曹志忠、林朝棟等戰於獅球嶺。 △八月二十日，法軍砲艦猛轟滬尾，陸戰隊在沙崙搶灘登陸，被孫開華、張李成率領的兵勇擊退。
光緒十一年 （西元一八八五年）　十八歲	將登雲書院春秋二季祭孔的樂局，重新創辦爲「鳳儀社」，社名取自尙書益稷篇「簫韶九成，鳳皇來儀」之意。 五月初十，祖母逝世。 冬間，族豪相欺，維朝甚憤懣，身懷刀銃，屢思與較。其父輒阻止之，並戒其當勉勵學業以求功名，俟得志時，再與爭較也不遲。維朝凜斯訓，求學之心勃然而發。 笨港縣丞代理嘉義知縣李時英，親筆題獻「保我赤子」之匾，予新港保生大帝廟「大興宮」。 △元月七日，法軍宣佈全面封鎖臺灣島。 △元月廿八日，法軍攻下獅球嶺，清軍退守基隆河南岸。 △二月十五日，法軍攻佔澎湖媽宮港。 △五月八日，中法於天津達成和議，法軍於六月廿四日全數撤離臺灣。 △五月十日，法將孤拔病死於澎湖。 △五月十三日，劉璈被彈劾革職。 △七月廿九日，劉銘傳奏「條陳臺澎善後事宜」摺，主張臺灣的善後急務在設防、練兵、清賦、撫番等四事。 △九月五日，清廷宣佈臺灣建省。首

任巡撫劉銘傳大力推動近代化洋務建設。
△九月廿一日，「長老教會中學」(今長榮中學)創立，為臺灣第一所私立中學。
△設置軍械機器局於臺北。

光緒十二年
(西元一八八六年) 十九歲

拜師嘉義街貢生林如璋習漢文。
二月，吳承哲出任笨港縣丞。
△二月十八日，清廷命林維源幫辦臺北開墾及撫番事務。
△四月，開始「清賦」工作。
△五月八日，劉銘傳奏報過去半年間，臺灣中路及南路生番歸化四百餘社，共七萬多人。
△九月十六日，劉銘傳進駐彰化大坪，督林朝棟、吳宏洛征討蘇魯、馬那邦等社原住民。
△劉銘傳設撫墾局、番學堂。

光緒十三年
(西元一八八七年) 廿 歲

五月，往臺南赴歲考，經臺澎提督學政唐景崧選拔爲嘉義縣學生員(文秀才)第十一名。
六月初七，父親逝世。
冬十一月，下葬亡父於海豐埤墘之畑。父親喪葬費及維朝進學赴考諸多費用，需錢孔亟，不得已將瓦磘地及魚池出售，並出典坂頭厝土地。
父祖管理兩代之林璧晃祭祀公業由族侄林煌章接手。
四月，楊錫霖出任笨港縣丞，氏爲江西新城人。獻匾「恩周道濟」予新港「大興宮」。
笨港縣丞楊錫霖贈「得大自在」匾給新港南壇水月庵。
△三月，劉銘傳於臺北大稻埕設西學堂，延聘洋人為教習。

		△三月廿四日，清廷命邵友濂為臺灣布政使。 △三月三十日，劉銘傳奏請官督商辦建築臺灣鐵路。 △七月九日，清廷任命吳宏洛為第一任澎湖總兵官。 △八月廿三日，連接福州和滬尾的海底電報線完工。 △九月八日，更改臺灣地方制度，全省劃分為三府、一州、三廳、十一縣。
光緒十四年 （西元一八八八年）	廿一歲	與月眉潭庄（今新港鄉月眉村）人林忠於牛稠溪堡月眉潭庄經營舊式糖廍，是林維朝經營糖廍事業之開端。 九月，嘉義縣知縣包容到任。 △二月十日，開辦臺灣郵政。 △八月廿九日，爆發施九緞事件，九月廿二日，林朝棟率兵平定。 △十一月六日，清廷同意劉銘傳的建議，將臺灣鐵路改為官辦。 △清賦完成，清查出大筆隱田，實施「減四留六」措施。
光緒十五年 （西元一八八九年）	廿二歲	月眉潭糖廍採收溪北庄（今新港鄉溪北村）甘蔗，與王得祿曾孫王銅貢產生衝突。 清政府於本年度派人到各堡發給丈單，林維朝給領填對，頗爲忙勞。 鄺祥煦出任笨港縣丞。 △黃南球與北埔姜家合組「廣泰成」墾號。
光緒十六年 （西元一八九〇年）	廿三歲	春二月，迎娶嫡妻打猫街（今嘉義縣民雄鄉）洪內理。 是年，將月眉潭糖廍轉佔與表叔陳紅螭接辦。

		六斗埤管理人王得祿第八子王朝彪怠忽築堤工事，六庄農民受害不淺。故牛稠溪堡大客庄等庄農民公舉林維朝爲六斗埤埤長，辦理該埤事務，遂引發六斗埤管理權之爭。 △八月廿二日，劉銘傳因委託英商辦理基隆煤礦事件，遭受革職留任處分。
光緒十七年 （西元一八九一年）	廿四歲	四月，經嘉義知縣包容斡旋，將六斗埤交由林維朝管理。 五、六月，嘉義縣知縣包容卸任。李聯珪繼任至翌年二月。 夏間，興工建築後進瓦屋三間，計費金三百餘圓。 七月下旬，收租雇人蘇遠被溝尾薋庄（在今嘉義縣六腳鄉）匪首黃矮擄禁勒索，林維朝乃召集溪南灣內、月眉潭庄及新港街丁壯將之救回，這是林維朝與大盜黃矮第一次交手。 不久，又擒捉家住新港北頭之人口販子吳連，救回遭拐騙欲載往泉州販賣之婦人魏蘇氏。 買下原五叔祖經營之中庄糖廍，是年冬天，著手興工，繼續經營糖廍事業。 冬十一月，新港街舉行五天清醮，林維朝指揮家人殷勤接待賓客二百餘名，好客之名遂以益著。 △十月廿二日，臺北至基隆段鐵路完工。 △十月廿二日，邵友濂正式接任福建臺灣巡撫。 △十一月廿四日，清廷命唐景崧出任臺灣布政使。 △林汝梅設立「金恒勝」壑號，在南庄地區製造樟腦。 △英國人甘為霖創辦臺灣第一所盲

人學校「訓瞽堂」。

光緒十八年
（西元一八九二年） 廿五歲

春三月，新港奉天宮之天上聖母，往祀典臺南大天后宮進香，推舉林維朝爲董事，維朝讓業師楊棟樑爲正，自己擔任副董事。三日出發，延途香客迎接參加，到臺南計有二萬餘人，駐宿三日，啓駕歸來，至十二日始入奉天宮本廟。

三月，鄧嘉縝（字季垂）任嘉義縣知縣。氏爲江蘇江寧（一作安徽）人，光緒元年恩科舉人。

汪寅生出任笨港縣丞。

冬十月，嘉義縣知縣鄧嘉縝任命林維朝爲打猫西堡分局長。

十月下旬，與街上林旺、葉勇、李琴合資經營之益發商店失火，延燒店屋兩軒及後進製酒場，損失不輕。

卸下六斗埤埤長職務。

△二月一日，開設臺灣金砂總局於基隆，並於暖暖、四腳亭、瑞芳、頂雙溪等地設立分局。

△五月廿七日，蔣師轍應聘為臺灣通志總纂，擔任修志工作。

△林豪主纂《澎湖廳志》成書。

△丈單發放作業完成，撤銷清賦局。

光緒十九年
（西元一八九三年） 廿六歲

六月，曾任臺灣知府的陳謨烈之子陳履益（字仁山）來任新港縣丞，與林維朝一見如故，甚相投契。

大糠榔西堡溝尾蓁庄匪首黃矮横行肆虐，率匪徒堵截新港往北港通衢，搶掠食物，擄人酷索，行旅視爲畏途。林維朝與縣丞陳履益合作將之緝捕歸案，於北港生擒黃矮，送到嘉義縣署訊問後，即押赴教場斬首，並將其首懸於北港道上示眾，由是盜匪斂跡。

九月十三日申時，長男林蘭芽出生。

九月底，縣丞陳履益以母憂歸里奔喪，林維朝集閣港紳商公贈萬人綢傘，署曰「除暴安良」以爲紀念。

冬十月，沈雲鵬接任新港縣丞。

冬，募集義捐金，修造潭仔墘（今新港鄉潭大村）及菜公厝（今新港鄉菜公村）兩座大橋。整理西門外荒塚俗名曰「猪屎塚」，骨骸暴露者盡爲收拾洗刷，貯以金斗，共埋一坵；其墳墓毀壞者爲之重修完好。又西門內通廟口之溝渠再爲清浚，使無壅滯。

十一月，與林煌策因買賣中庄土地之事而興訟。

與友人白玉簪、黃宇西、林旭初、林汝倫等以詩作相唱和。

本年（癸巳年）作詩七首。

△元月六日，邵友濂停止新竹以南鐵路的建設計畫。

△十一月，臺北至新竹段鐵路完工。

△胡傳（胡適之父）出任臺東直隸州知州。

光緒二十年
（西元一八九四年） 廿七歲

六月，嘉義知縣鄧嘉縝以日清戰役（甲午戰爭），任命林維朝爲打猫西堡團練分局長，辦理一堡團練事宜，所轄之區計二十二庄。團練局設於新港奉天宮內。

七月欲赴秋闈，然因公事耽擱，中途又遇雨，廿二日至臺南時，開往福建之官船已於二十一日開去矣。

八月，承贌大莆林（今嘉義縣大林鎮）附近之走猪庄（今大林鎮湖北里）之抄封租館。

中日開戰以來，敗耗頻傳，各地土匪趁機明火搶劫，林維朝乃召集街上耆董、鋪戶籌議捍禦劫匪之策，雇用勇敢壯丁十名專於夜間巡邏、警衛。
新港縣丞沈雲鵬解任，蔣本極接任。
△元月十五日，邵友濂奏請將省會改為臺北。
△陽曆八月一日，日本向中國宣戰，甲午戰爭爆發。
△陽曆九月十七日，黃海海戰，日本聯合艦隊擊潰中國北洋艦隊。

光緒二十一年、明治二十八年（西元一八九五年） 廿八歲

元旦，次子林開泰出生。
臺灣巡撫衙門起兵變，唐景崧乘夜挈眷，搭英國輪船走廈，匪氛日熾，日搶夜劫。林維朝勵行聯庄革匪之策，極力維持轄區安定。新港縣丞孫公亦急欲內渡，林維朝遣練勇數名護送其到東石搭船。
六月，嘉義知縣孫育萬（字榮生、瀛生）上任。新港縣丞雷次青蒞任。
六月中旬，林維朝經由鄭源曾秀才及友人陳賜介紹，聘中庄陳老湧之女陳陣為側室。
七月十五日，日軍已至大莆林。南軍劉連源統帶一營兵勇欲往大莆林打仗，被打猫街民誤為叛勇而圍攻，四處潰逃，有二十四名被新港街民捕獲而欲殺之，林維朝極力維護方得倖免。北港局長蔡然明亦接受林維朝之建議，將捕獲之二十八名叛勇釋放。
八月十七日，聞西螺陷落之訊；十八日聞土庫已陷，延街發火；又聞嘉義縣城已於二十（按：二十一）早午前陷落，林維朝遂於二十三日與母親江氏、妻子洪氏、長子蘭芽、次子開泰、從弟林瑞、從叔母何氏、從弟婦莊氏涓、四妹阿粉於台仔挖（在今雲林縣口湖鄉）搭船內渡。廿七日即到泉州

之圍頭，由是處登陸，雇乘轎子到汭洲鄉妹婿王子修之家住宿。廿八日，好友何子言一家亦來汭聚會。王子修乃借堂兄王子覲之家屋與林維朝及何子言兩家人居住。

九月下旬，林維朝回祖籍龍溪縣東山村謁祖，並探族親。

十一月初旬，林維朝返臺，欲處理中庄糖廍水牛、銃等被劫，管理人陳岳丈被辱一事。十一月十九日，雇人林蔭持毛瑟槍被北港駐在之兩名警察遇到，被其捕去，林維朝亦遭追緝，九死一生，方得倖免於難。

著有〈汭洲旅次感懷〉、〈乙未汭洲除夕〉等詩。

本年（乙未年）作詩六首。

△陽曆三月廿六日，日軍佔領澎湖。

△陽曆四月十七日，清國代表李鴻章與日本代表伊藤博文在春帆樓簽訂馬關條約，清國承認朝鮮獨立，割讓遼東半島、臺灣、澎湖列島予日本。

△陽曆五月十日，日本任命海軍大將軍樺山資紀為臺灣第一任總督。

△陽曆五月廿五日，「臺灣民主國」成立，唐景崧就任總統。

△陽曆五月廿九日，近衛師團於鹽寮海岸登陸。

△陽曆六月二日，李經方與樺山資紀完成交割。

△陽曆六月七日，日軍攻佔臺北城。

△陽曆六月十七日，臺灣總督府舉行「始政」典禮。

△陽曆六月廿二日，日軍攻破新竹城。

△陽曆六月，伊澤修二創立「國語傳習所」。

△陽曆八月六日，總督府開始實施軍政。
△陽曆八月九日，尖筆山之役，楊載雲戰死。
△陽曆八月十四日，苗栗失陷。
△陽曆八月廿八日，八卦山之役，彰化城失陷，吳湯興、吳彭年戰死。
△陽曆十月十九日，劉永福潛回大陸。
△陽曆十月廿一日，臺南失陷。臺灣民主國滅亡。
△陽曆十月廿八日，日本皇族能久親王於臺南病亡。
△是年冬，日本人類學者伊能嘉矩來臺進行史地民情的調查研究，為臺灣學開啟先路。

明治二十九年（西元一八九六年） 廿九歲

陰曆二月下旬，以中庄糖廍製造將終，再度回梓鳩集款項，以供內地家用。至臺南時，聞摯友黃有章住在比鄰行店，乃往訪之。黃有章曾被圍不獲，自到南投見乃木將軍。兩人相見，淚眼相對，相與訴說別後滄桑。
返臺後，諸多不順，兼上疾病纏身。直至陰曆七月中旬才將糖以低價賣出。
接到內地訊息，妻子、母親接連染患鼠疫症。歸心如焚，抵泂洲後，林維朝瘧疾復發，兩子又甘癀症重，骨瘦如柴，困頓至極，故決計搬往東山祖籍，以避其難。離開泂洲時，以詩與陳裕賢、王子揚、王子觀相辭別。
是年秋，林維朝拖著孱弱病軀，挈著老弱家眷，回到祖籍地東山。
著有〈次陳裕賢先生贈別原韻〉、〈次王子揚君贈別原韻〉、〈賦呈泂洲王子觀兄〉、〈泂洲旅次風雨感懷〉、〈鷺江

		旅次〉、〈月潭臥病〉、〈劉宅社感懷〉等詩。 本年（丙申年）作詩十首。 △一月一日，胡嘉猷、陳秋菊、林李成等人突擊臺北。芝山岩學堂六位學務官員被殺。 △一月，長野義虎橫越中央山脈成功。 △三月三十日，日本政府公布「六三法」。是日本在臺灣實行殖民統治的根本。 △四月一日，撤廢軍政，開設三縣(臺北、臺中、臺南)、一廳（澎湖）；臺灣歸由新設置的拓務省管理。 △四月七日，「臺灣鐵道會社」成立。 △五月十八日，開辦日本與臺灣之間的定期航路。 △六月二日，桂太郎就任為第二任總督。 △六月十七日，《臺灣新報》發行。 △七月廿六日，總督府衛生顧問爸爾登抵臺。 △九月廿五日，發佈「國語學校規則」。 △十月十四日，陸軍中將乃木希典就任第三任總督。 △十二月五日，簡義歸順。
明治三十年 （西元一八九七年）	卅　歲	中秋節，林維朝之母江氏過世。辦完母親喪事後，是年陰曆九月，林維朝挈家眷返鄉。 歸梓時，家下財物已被諸雇人攫取一空。 返臺時，著有〈歸里〉、〈風雨思親〉等詩，悽惻哀傷。 本年（丁酉年）作詩十三首。 △一月十一日，深堀安一郎上尉率領

橫貫中央山脈探險隊出發，二月十四日失蹤。

△一月廿一日，日本政府發佈「臺灣阿片令」，實施鴉片專賣。

△五月八日，國籍選擇日到期。

△五月廿七日，更改地方制度，設立六縣（臺北、新竹、臺中、嘉義、臺南、鳳山）及三廳（宜蘭、臺東、澎湖）。

△六月廿六日，開始實施「三段警備制」。

△十月廿五日，鳥居龍藏前往蘭嶼，從事人類學調查。

△十二月十六日，總督府高等法院院長高野孟矩因起訴受賄官員，遭停職處分。

明治三十一年
（西元一八九八年）　卅一歲

元配洪氏返家才三個月，於陰曆正月九日即過世，得年才三十歲。

二月廿二日，林煌策受頒紳章。

六月三十日，林煌策擔任打猫辨（辦）務署參事。

十月一日，限元禎三任打猫辨（辦）務署長。

十月一日，陳起鳳任新港區街庄長。

十月一日，「新港公學校」創校，校址在松仔腳街舊鹽館，今福德路農會會址及西側三戶民宅。

十月廿六日，林維朝受聘至新港公學校教授漢文，月俸金十圓。

十一月十一日，新港公學校速成科學生何際虞，在橋仔頭庄附近被土匪捉去，以鐵鍊鎖住藏匿在雲林山區，關了十天才被土匪討伐隊發現，二十日無事歸來。

十一月二十二日，臺中縣警部黑木實信等三十一名土匪討伐隊在新港公學校住宿。

哀悼亡妻，著有三首〈悼亡〉詩，詞意哀婉感人。

與坂根十二郎以詩相唱和，著有〈贈呈教諭坂根先生〉一詩。

本年（戊戌年）作詩十一首。

△二月廿六日，兒玉源太郎就任第四任總督。三月二日，後藤新平任民政局長。

△五月一日，《臺灣日日新報》創刊。

△六月二十日，變更總督府官制，地方制度改為三縣（臺北、臺中、臺南）及三廳（宜蘭、臺東、澎湖），下轄四十四辨（辦）務署。

△六月二十日，撤除「三段警備制」。

△七月十七日，發佈「臺灣地籍規則」及「臺灣土地調查規則」。

△七月廿八日，發佈臺灣公學校與小學校官制。

△七月廿八日，林火旺率領部下三百餘人歸順，這是第一次「土匪歸順」。

△八月卅一日，總督府發佈「保甲條例」。

△九月五日，「土地調查局」正式運作，負責執行土地調查。

△九月十日，簡大獅於芝山岩宣誓歸順。

△十一月五日，總督府發佈「匪徒刑罰令」。

明治三十二年 （西元一八九九年）	卅二歲	一月二日，侄兒林典出生（其父林瑞爲林維朝從弟）。典六歲失怙，賴伯父林維朝栽培長大。 對於漢學地位一落千丈，感慨萬千，著有〈讀書有感〉；並著〈卅一賤辰誌感〉、〈感懷〉、〈己亥六月覽鏡感

懷〉，對自己頻年潦倒，不勝唏噓。
四月一日，摯友林旭初亦應聘到新港公學校教書，兩人時以詩相唱和，作〈奉和林旭初君掃墓原韻〉、〈次林旭初君感懷原韻〉等詩，並作聯句〈同林旭初君聯句〉。
五月九日，打猫辨務署長隈元禎三轉任嘉義辨務署長；濱崎康來任打猫辨務署長。
泗洲友人，王子觀之西席陳裕賢因無子嗣，渡海來臺娶妾。林維朝及北港蔡子珊廩生皆與其以詩相唱和。
本年（己亥年）作詩二十六首。
△一月三十日，陳秋菊歸順。
△三月十七日，黃國鎮歸順。
△三月廿二日，公佈「臺灣事業公債法」。
△三月廿三日，柯鐵、賴來福等歸順。
△四月一日，「總督府醫學校」創立，是臺灣史上第一所正規的醫學校，也是臺大醫學院的前身。
△四月廿六日，食鹽列入專賣。
△五月十二日，林少貓歸順。抗日游擊行動被稱做「抗日三猛」的北部簡大獅、中部柯鐵虎、南部林少貓，至此全部收服。
△九月廿六日，臺灣銀行正式開業。
△十月二日，「臺北師範學校」開校。
△十一月八日，成立總督府「鐵道部」，民政長官後藤新平兼任部長，長谷川謹介任技師長。

明治三十三年
（西元一九〇〇年）　卅三歲

二月，被任命爲打猫保甲局評議員。
二月十七日，繼室陳陣生下三男林庭燎。
二月二日，新港公學校教諭坂根十二郎轉任臺南第二公學校；嘉義公學校教諭關菊次郎轉任新港。

四月一日，打猫辨務署、嘉義辨務署合併。署長濱崎康轉任大目降（新化）辨務署長。

原鹽水港辨務署長岡田信興來任嘉義辨務署長。

四月二日，新港支署長石神弘休職；庄崎惣次郎任新港支署長。

八月十一日，關菊次郎任新港公學校校長。

十一月十五日，新港區街庄長陳起鳳卸任。

十一月十五日，林維朝辭去新港公學校教職。同日任新港區街庄長。

拍下寫真，為目前新港現存最老的照片。

作〈坂根先生轉任臺南離筵餞飲詩以送之〉、〈端陽日即席賦贈關教諭〉等詩。

三男林庭燎出生，作〈誕子思親〉一詩。

與林旭初唱和，作〈除夕依林旭初君原韻〉、〈次林旭初君除夕原韻即以誌之〉。

本年（庚子年）作詩十五首。

△二月六日，臺北中醫師黃玉階發起「臺北天然足會」，宣傳「解纏足」運動。

△二月九日，柯鐵病死。

△三月十五日，舉辦「揚文會」，進士、舉人、秀才等一百四十六人與會。

△三月廿二日，林火旺被處死。

△三月廿五日，臺灣守備隊編纂，《臺灣史料》成書。

△三月廿九日，簡大獅被處死。

△六月二日，臺北淡水河堤防完工。

△十一月廿八日，臺南至打狗（高雄）間鐵路通車。
△十二月十日，三井財閥投資的「臺灣製糖株式會社」創立。

明治三十四年
（西元一九〇一年）　卅四歲

一月，被任命爲官租地未申告地調查委員。
內山土匪猖獗，延及東石海隅，襲擊樸子腳（今嘉義縣朴子市）支廳。林維朝督勵村民聯庄竭力防備，新港地方幸得安堵如常。
五月二十日，林煌策受聘至新港公學校擔任教職。
林煌章擔任大潭區庄長。
十月十日，新港支署長庄崎惣次郎轉任樸仔腳（今朴子市）支署長。
十月十日，鈴木季一任新港支署長。
十一月十一日，新港支署改爲新港支廳。
十一月廿三日，運動會在新港支廳廣場舉行。下午三點，傳來樸子腳支廳遭土匪襲擊的消息，運動會停止。
十二月十六日，前任新港街庄長陳起鳳，及前月眉潭區區長林某兩名，遭奇襲隊殺傷，消息傳來，新港街人均相當驚恐。
友人秋葉省三陞轉梅坑（今嘉義縣梅山鄉），詩以送之。
三月廿三日「媽祖生」，作〈三月廿三日爲天上聖母誕辰即景偶詠〉七絕四首。
思念亡妻，作〈敍夢〉七絕四首。
本年（辛丑年）作詩十五首。
△一月十五日，由臺灣慣習研究會發行的《臺灣慣習記事》創刊。
△一月廿七日，「臺灣文庫」成立於臺北「淡水館」。

△六月一日，臺灣總督府成立專賣局，原樟腦局、鹽務局、製藥所統歸專賣局管轄。
△七月四日，發佈「臺灣公共埤圳規則」。
△九月，新渡戶稻造提出「糖業改良意見書」。總督府根據這份意見書，從此展開補助糖廠資本、確保製糖原料和保護市場等獎勵政策，使製糖業迅速發展成日本時代臺灣的最大產業。
△十月廿五日，發佈「臺灣舊慣調查會規則」，設臨時臺灣舊慣調查會。
△十月廿七日，舉行「臺灣神社」鎮座式。
△十一月九日，變更地方制度，廢除三縣及各辨（辦）務署，全島分為二十廳。

明治三十五年
（西元一九〇二年） 卅五歲

土匪四處流竄，人心不安。為了保衛新港地方之治安，林維朝督勵壯丁嚴緝外來匪徒，協同警官全力防禦，逮捕斗六廳匪首吳文、蔡水碓、蘇石頭、陳吉等。
四月十六日，郭章擔任月眉潭區庄長。
八月五日，林維朝受賜紳章。
八月，林煌章受賜紳章。
八月十六日，林煌策擔任新港公學校學務委員。
八月廿七日，原登雲書院所有財產全部寄附新港公學校當基本財產，獲得許可通知。
九月七日，打猫支廳長今津正之兼任新港支廳長。
十一月一日，成澤孝作擔任新港支廳長。

明治卅四、卅五（一九〇一、一九〇二）年連續兩年旱魃爲災，民不聊生。林維朝力排眾議，倡言廢撤農曆七月盂蘭盆會極盡奢靡、相互較勁之建醮設壇民俗。並據理辯駁一些聳人聽聞的迷信邪說，頗能收移風易俗之效。
結束中庄舊式糖廍。
當選六斗埤圳管理人。
拍攝照片一幀，作〈寫真感懷〉一詩。
本年（壬寅年）作詩十四首。
△七月六日，爆發「南庄事件」。

明治三十六年
（西元一九〇三年）　卅六歲

三月三十一日，林煌策擔任新港公學校教師。
五月三十日，林維朝與鹽水翁煌南、柳營劉神嶽等友人，及新港公學校教師林煌策、甲長鄭番至日本參觀博覽會，並往瀨戶內海、東京、京都、大坂(阪)等地觀光，七月十八日返臺。翁煌南在日本喜遇情人，林維朝、劉神嶽與翁煌南均以此爲題賦詩。
與嘉義東門蘇荖兄弟合資，於新港街經營德美煉瓦工場。
作〈癸卯內地觀光瀨戶內海即事〉、〈東京偶作〉、〈東京夜市〉、〈京都道中〉、〈風雨淒涼思鄉有感〉、〈博覽會場中遊臺灣館即事〉等詩。
本年（癸卯年）作詩十三首。
△十二月，「鹽水港製糖會社」創立。

明治三十七年
（西元一九〇四年）　卅七歲

一月一日，平盛香出任新港支廳長。
一月十三日，林煌策辭去新港公學校教職。
爆發大瘟疫，橫屍曝於野。陰曆三月，林維朝繼妻陳氏染疫身亡，從弟林瑞及從叔母何氏亦於是月染疫偕亡。繼妻遺下一子庭燎尚在襁褓，從弟拋下弱子林典年方六歲。

三月末爆發鼠疫症大流行，蔓延全市街，新港公學校自四月一日開始停課，至五月廿八日才恢復授課。新港公學校學生死亡者八名；兒童家族死亡者二十六名。

四月十八日，月眉潭區長郭章卸任。

四月十八日，林煌策接任月眉潭區長。

七月九日，師母（業師楊棟樑之妻）胡氏嬌，至新港公學校擔任刺繡教師。

林維朝娶新港街何笑之次女何浮爲繼室。十月二日婚姻入戶。

十一月六日，嘉義、雲林地區發生芮氏規模六點一級的災害性地震，震央所在的新港支廳災情最爲慘重，計有八十五人死亡，六十七人輕、重傷。全倒、半倒與受損戶達總戶數之六十六%。林維朝極力協助警察投入救災，不眠不休。

十二月廿七日，大潭區庄長林煌章以病卒。

十二月廿七日，林維朝兼任大潭區庄長。

與新港支廳長平盛香以詩唱和，作〈次平盛香支廳長咏蘭原韻〉、〈平支廳長再以咏蘭詩見貺賦此贈之〉。

摯友白玉簪亦琴絃兩斷，以〈悼亡〉詩見示，林維朝亦作七絕四首，以敘同病相憐之情。

本年（甲辰年）作詩八首。

△二月十日，「日俄戰爭」爆發。

△五月二十日，總督府發佈「大租權整理令」，企圖消滅「一田多主」的現象。

△十月十日，陳中和創設的「新興製糖會社」工場落成。
△十一月四日，第一所番童教育所在嘉義達邦社開設。
△十一月，嘉義銀行創立。

明治三十八年
（西元一九〇五年）　卅八歲

四月，投資嘉義銀行（今之第一銀行），出資四千圓，爲無限責任社員之一。
五月，嘉義廳新港支廳新築費金三千八百十八圓，由林維朝及新港街人民寄附（捐獻）。
九月一日，長女林寶釵出生（繼室何浮之獨生女）。
十月一日，第一回臺灣戶口調查開始施行。
本年（乙巳年）作詩九首。
△一月，公佈番社調查結果：全島番社總數七百八十四個，人數十萬三千三百六十。
△五月，嘉義銀行開業，為本土資金最早組織的金融合資會社。
△七月，臺灣第一座發電廠（龜山發電所）完工。
△九月七日，簽訂日露（俄）和平條約，日俄戰爭結束。
△十月一日，彰化銀行正式開業。
△《調查經濟資料報告》出版。

明治三十九年
（西元一九〇六年）　卅九歲

一月十日，林煌策因病過世。
一月十日，林維朝兼任月眉潭區長職務，至二月十五日辭去兼務。
二月十五日，郭金盤擔任月眉潭區長。
二月廿二日，新港街洪炳擔任新港公學校學務委員。
三月十七日（陰曆二月二十三日），發生芮氏規模七點一級之梅山大地震。新民路兩側房舍斷壁殘垣，哀鴻遍野；奉天宮前殿全毀，僅餘神龕及日月門（龍門）仍屹立不倒；登雲書院徹底瓦解。

因明治三十一（一八九八）年，日人頒布「書房義塾規則」，登雲書院倒塌後不得重建。爲了傳承漢學薪火，林維朝在家中宅第怡園開館授徒。

率先捐款並呼籲修復保生大帝廟——大興宮（今爲三級古蹟）。

好友許紫鏡至後大埔（今嘉義縣大埔鄉）教塾，賦詩贈之。

本年（丙午年）作詩七首。

△三月十七日，嘉義地方發生強烈大地震，造成一千一百多人喪生。

△五月十三日，臺灣全島及澎湖實施戒嚴，七月七日解除。

△五月廿三日，陸軍大將佐久間左馬太就任第五任總督。

△十一月，「明治製糖株式會社」創立。

△十二月，「大日本製糖株式會社」創立。

明治四十年（西元一九〇七年） 四十歲

陰曆正月，大興宮即修復完竣，林維朝親撰正殿大門對聯。

新港奉天宮倒塌後，林維朝首先捐款並向日本總督府提出申請許可募集寄附金，親自草擬〈重建奉天宮寄附金募集疏〉，向全島人士募款，呼籲重新修復奉天宮，是年冬，由林溪和監工，開始重修廟宇。

再度到日本參觀博覽會，並往瀨戶內海等地遊歷。

在打猫西堡後底湖（在今新港鄉大潭村）經營舊式糖廍。

銜接打猫（嘉義縣民雄鄉）至北港的

輕便鐵道「打北輕鐵春龍公司」成立，林維朝擔任評議員。該年，輕便鐵道已由縱貫鐵路通過的打猫站，連接到新港及舊南港（新港鄉南港村）站。
四月廿二日，古民庄黃傳擔任新港公學校學務委員。
八月十三日，嘉義廳長岡田信興卸任；北原種忠接任。
十月一日，被選爲嘉義勸農會新港區地方委員。
赴日，作〈丁未內地觀光瀨戶即景〉、〈博覽會場夜景〉二詩。
與林允承時相以詩唱和。
本年（丁未年）作詩八首。
△一月一日，「三一法」開始生效，取代「六三法」。
△十一月十五日，爆發北埔事件。

明治四十一年
（西元一九〇八年） 四一歲

一月二十日，被嘉義廳長指定爲中興圳副管理人。
元月，嘉義市大商號蘇美記敬謝奉天宮神桌。
春，嘉義著名士紳張元榮（張李德和的公公）、王朝文（王得祿之子）、莊伯容、林玉崑、蘇孝德、陳傑昌、周掄魁、周哲、徐杰夫及商號蘇美記等敬獻「海國同春」匾額給奉天宮。
四月，番婆部落（今新港鄉安和村）發生鼠疫症。
十月十五日，被任命爲嘉義廳參事。
十一月，被選爲嘉義銀行理事。
十二月一日，被囑託中興圳外六圳水租徵收事務。
北港溪之輕便橋樑完成架設，輕便鐵道再延伸至北港。進香客搭縱貫鐵路火車，再接駁輕便鐵道，至新港奉天宮與北港朝天宮進香者絡繹不絕。

本年（戊申年）作詩五首。

△四月二十日，臺灣全島之縱貫鐵路全線通車。

明治四十二年
（西元一九〇九年） 四二歲

三月二日，月眉潭庄（今月眉村）林坤木擔任新港公學校學務委員。

在打猫南堡海豐仔庄（今新港鄉海瀛村）經營舊式糖廍。

九月七日，被任命爲嘉義廳下糖業組合整理委員。

十月十三日，嘉義廳長北原種忠卸任。

十月十三日，津田毅一出任嘉義廳長。氏爲日本千葉人，早稻田專門學校法科畢業。

本年（己酉年）作詩八首。

作〈臺南新報社十週年祝辭〉一文。

△十月一日，石坂莊作於基隆開設「石坂文庫」。

△十月廿五日，變更地方制度，原設二十廳縮減為十二廳。

△十月廿五日，總督府下新設「番務本署」，下年度（一九一〇）起開始實施「五年理番計畫」。

明治四十三年
（西元一九一〇年） 四三歲

二月一日，被任命爲新港區長。

四月廿七日，臺中、彰化地區媽祖信徒數萬人到新港參拜媽祖，借宿在民家及新港公學校。

八月十五日，被選爲嘉義廳誌編纂委員。

九月，被選爲打北輕鐵春龍公司長。

與白玉簪等六十餘人，組織羅山吟社，設有例課，月恒數次雅集，以詩會友。

詩友周掄魁、蔡國琳（字玉屏）去世，

		林維朝作輓詩哀悼。 與櫟社成員傅錫祺、賴紹堯、陳槐庭等詩人相唱和。 與鹿港區長陳質芬唱和。 羅山吟社大會，以「臺灣雜咏」爲題詠史，林維朝囊括第一、二、三、四、五、六名。 與羅山吟社成員莊伯容、蘇孝德（字朗晨）、徐杰夫、鄭作型等以詩唱和。 與浪吟詩社成員陳渭川（字瘦雲）以詩唱和。 本年（庚戌年）作詩九十八首。 △四月一日，臨時臺灣舊慣調查會編《臺灣私法》共十三冊完成。 △五月九日，總督府發動「大嵙崁之役」，對泰雅族大嵙崁番發動圍剿。 △十月三十日，公佈「臺灣林野調查規則」。
明治四十四年 （西元一九一一年）	四四歲	一月二十五日，女林鸞出生（側室侯夜合所生）。 結束後底湖庄、海豐仔庄舊式糖廍。 與嘉義蘇美記合資在台中廳線西堡溪底庄（今彰化縣伸港鄉溪底村）經營改良糖廍。 三月廿五日，被選爲嘉義銀行副頭取（今之副董事長）。 五月一日，被選任爲嘉義廳農會地方委員。 六月一日，被囑託公共埤圳組合中興圳事務。 緊隨著明治四十三年（一九一〇）北港設立新式製糖場，明治四十四年（一九一一），北港製糖株式會社開闢嘉北線，以嘉義市爲出發點，行經北社尾、溪底寮、牛斗山（牛稠山）、三間厝、中洋仔、新港、板頭厝、灣

仔內，越過北港溪鐵橋，到達北港，總長一七點八公里。大部分路線與打北線重疊，且營業規模較大，打猫至北港輕便鐵道的優勢不再。然因初始糖場僅經營貨運，運輸原料甘蔗、肥料與砂糖等，影響尚不大。

與瀛社成員洪以南以詩唱和。

本年（辛亥年）作詩十二首。

△二月八日，阿里山鐵路通車。

△二月十一日，黃玉階發起「斷髮不改裝會」。

△八月廿六日至八月三十日豪雨成災，南北交通斷絕。

明治四十五年
（七月三十日止，次日起改元大正元年）
（西元一九一二年）　四五歲

四月十一日，辭去新港區長之職；同時亦辭去嘉義廳農會新港區地方委員。

五月十五日，五社林族人林甲炳辭去新港公學校訓導之職，接任新港區長。

陰曆八月十六日，羅山吟社成員在徐家荊花書屋賞月，與徐杰夫、徐埴夫、林玉書等以詩唱和。

九月十六、十七日（陰曆八月十九、二十日）暴風雨肆虐，新港街屋損害不小。新港公學校停課一星期。

十二月十二日，林維朝四子林希文出生（側室侯夜合所生）。

長男林蘭芽於是年冬與嘉義西堡山仔頂庄（在今嘉義市）蕭允結婚。

摯友徐埴夫年四十初度，著詩詠懷，林維朝與之唱和多首。

本年（壬子年）作詩五十九首。

△三月廿三日，「三菱製紙會社」竹林糾紛引發「林圯埔事件」。

△六月廿七日，爆發「土庫事件」。

大正二年
（西元一九一三年）　四六歲　參加大林工場落成式，並發表〈新高製糖會社落成式鐵道開通式祝詞〉。可驗證梅仔坑線與大林糖場是同時完成的。
三月廿八日，長男林蘭芽於臺灣總督府國語學校國語部畢業。
四月十一日，長男林蘭芽任職嘉義廳庶務課。
嘉義銀行業務挫折，於八月八日對外停止營業，林維朝與理事徐杰夫率先提供財產，且極力勸導各社員；又幾次北上，向財政局長陳情，並懇請臺銀頭取（今之董事長）援助整理，經兩月之久，始告成功。
摯友徐杰夫至日本遊歷，以詩留別，相以唱和。
嘉義區長兼攝山仔頂、臺斗坑區長的蘇孝德（字朗晨），以〈臺斗坑雜咏〉索和詩，林維朝依原韻賦八首七律以贈。
本年（癸丑年）作詩五十一首。
△一月二日，臺灣第一條汽車客運，臺北至圓山間通車。
△四月，破獲張火爐大湖陰謀事件。
△十月，破獲關帝廟事件。
△十一月二十日，爆發「苗栗事件」，十二月十八日羅福星被捕。
△十二月二日，爆發「東勢角事件」。
△十二月，《清國行政法》全部完成。

大正三年
（西元一九一四年）　四七歲　一月廿六日，長男蘭芽之長子林光烈出生。
二月廿七日，被任命爲新港公學校學務委員。
三月廿五日，被選爲嘉義銀行頭取。
五月十九日，長男林蘭芽辭去嘉義廳

庶務課勤務。

參加大林線鐵道全通式，發表〈新高製糖會社甘蔗品評會并鐵道全通式祝詞〉，爲大莆林新港線留下文獻紀錄。

十二月二日，被任命爲嘉義廳建物敷地審查委員。

本年（甲寅年）僅作詩三首。

△四月一日，長老教會創辦淡水中學。

△四月五日，臺北圓山動物園開始營業。

△五月七日，爆發「六甲事件」。

△五月十七日，佐久間總督親自率領軍警發動「太魯閣番之役」，至八月十九日結束。

△八月廿三日，日本對德國宣戰，正式介入第一次世界大戰。

△九月十九日，佐久間總督赴日報告五年理番計畫完成。

△十一月廿二日，坂垣退助來臺為「同化會」催生。

△十二月二十日，「臺灣同化會」成立。

大正四年
（西元一九一五年） 四八歲

次子林開泰與大槺榔西堡更寮庄（在今嘉義縣朴子市）吳拖結婚，一月廿五日婚姻入戶。

三月，嘉義銀行經營逐漸步上軌道，於臺南再設立支店一所。

四月一日，設月眉潭分校。

六月廿五日，被選任爲第二回南部物產共進會評議員。

八月一日，被選任爲第二回南部協贊會商議員。

十月一日起，第二回臨時臺灣戶口調查。

十一月十日，賞勳局授與大禮記念之證及大禮記念章。
結束線西堡溪底庄之改良糖廍，損失慘重。
十一月廿六日，長男蘭芽長女林瓊瑛出生。
打猫支廳長伊藤鎮三轉任北港支廳長，賦詩送之。
與郭文炳（字風友）、徐埴夫、白玉簪、許子敬、陳家駒（字少圃）、徐杰夫等相唱和。
與鹿港詩人施梅樵相唱和。
本年（乙卯年）作詩六十二首。
前廣東按察使陳望曾親撰，王子典敬獻奉天宮楹聯。
△二月三日，公佈「中學校官制」，公立臺中中學校核准成立。
△五月一日，安東貞美就任第六任總督。
△八月三日，爆發「噍吧年事件」。這是武裝抗日運動中，相當慘烈的一次。
△八月九日，總督府圖書館正式開館。
△九月六日處死羅俊；九月廿三日處死余清芳。
△十月二十日，下村宏就任民政長官。
△《番族慣習調查報告》等成書。

大正五年
（西元一九一六年）　四九歲

五月八日，嘉義廳長津田毅一辭職；相賀照卿接任。
八月四日，次男開泰長子林金生出生。
九月，引進外資，在新港成立公司制的嘉昌商行，經營酒類、糖粉、穀類等雜貨買賣。股東包括太保庄（今嘉義縣太保市）的王少儀，大莆林（今嘉義縣大林鎮）的江文蔚，雙溪口（今嘉義縣溪口鄉）的張進文，新港的郭寬容、蔡海吉。
次男林開泰畢業於臺灣總督府醫學校。
九月二十日，長男林蘭芽擔任新高製糖株式會社新港街古民庄原料委員。
與施梅樵、徐埴夫、許紫鏡等友人再以詠懷詩相唱和。
嘉義廳長津田毅一辭官回日本，林維朝作兩首七律〈津田嘉義廳長挂冠歸里賦此贈別〉送之。
大莆林友人江文蔚新居落成，賦詩祝賀。
與古董家高鵬雲相唱和。
作〈示諸兒〉一詩，以「期作偉男子，光大我門楣」來期許諸兒。
開始作詩鐘，並樂此不疲。
本年（丙辰年）約作詩五十五首。
△四月十六日，逮捕噍吧年事件主犯之一江定，九月十三日處死。

大正六年
（西元一九一七年）　五十歲

林維朝之母江氏隨子西渡大陸，不幸於一八九七年染疫過世。二十年後，林維朝至中國大陸拾母氏骨骸歸葬故鄉新港。並遊歷南普陀、白鹿洞、虎溪岩等名勝地。
新港郵便局架設電話，寄附鐵線二百貫。
為了慶祝奉天宮重修落成的祭典，林維朝親撰〈新港奉天宮落成徵詩啓〉，廣邀島內詩人，撰詩描繪奉天宮的建築之美，他本人就作了八首七言律詩，極力贊頌奉天宮的廟貌莊嚴，神靈顯赫。
七月十九日，長子林蘭芽擔任新高製

糖株式會社菜公厝庄原料委員。
十二月七日，長男蘭芽次子林光前出生。
北港製糖株式會社所闢的糖業鐵路嘉北線加入載客營運，打猫至北港輕便鐵道的營運每下愈況，終致遭拆除的命運。
與徐埴夫、施梅樵等人相唱和。
友人張元榮（字選榮）六十大壽，作〈壽張選榮先生六十壽詩〉以賀。
教導子侄輩林蘭芽、林開泰、林典、林甲炳、蔡乾亨等人作四點金格詩鐘。
友人施學賢五十初度，賦詩賀之。
打猫街（今民雄鄉）友人楊爾材之母七十初度，作〈壽楊爾材君令堂七旬初度〉以賀。
至中國大陸，拾母骨骸，作〈曉入鷺江〉、〈三山客寓〉、〈發母氏墳塋〉、（偕陳黃二君遊南普陀）、〈遊白鹿洞〉、〈遊虎溪岩〉、〈鷺江即事〉等詩。
本年（丁巳年）作詩六十二首。
作〈楊爾材君令萱堂壽萱集序〉一文。
△一九一六年八月起，南投地區在不到半年時間內連續發生四個災害性地震：八月二十八日，發生芮氏規模六點八級的災害地震；十一月十五日，發生芮氏規模六點二級的災害地震；一九一七年一月五、七日，先後發生芮氏規模六點二級及五點五級的災害地震，對南投地區帶來空前的災難。

大正七年
（西元一九一八年） 五一歲

一月十七日，舉行奉天宮重建落成儀式，連續四天舉行慶祝大典。
一月二十日，媽祖大祭，借新港公學校運動場舉行自行車競賽。

一月廿七日，被選爲嘉義銀行副頭取。
四月一日，被專賣局長指定爲斗六街（今雲林縣斗六市）煙草專賣人。
四月一日，公司制的嘉昌商行，由於制度健全，林維朝經營得法，且開風氣之先，將獲利分紅給店員，業務蒸蒸日上，增資擴張資本額爲壹萬元。
五月十六日，投資嘉義工業傳習所壹仟圓，該所所長爲徐杰夫。
九月二日，蘇荖退股，德美煉瓦窯由林維朝獨資經營。
九月三日，林維朝次子林開泰擔任新港公學校校醫。
十一月廿七日，長子林蘭芽擔任新高製糖株式會社海豐仔庄原料委員。
十二月二十日，被選爲臺灣教育會嘉義支會地方委員。
三子林庭燎自臺北國語學校畢業，即往日本留學，就讀於日本岡山專門醫學校。
與郭文炳、張元榮、許紫鏡、徐埴夫、林慎修、黃守謙、劉篁村、羅泛卮等人唱和。
好友黃有章、徐埴夫、白玉簪去世，著輓詩以哀悼。
詩友許南英於一九一七年逝於蘇門答臘棉蘭，爲其遺稿作〈題許蘊白先生詩卷〉。
本年(戊午年)計作詩一百三十二首。
彰化南瑤宮笨港進香團到新港奉天宮進香，獻「英靈普濟」匾給奉天宮。
△六月六日，陸軍中將明石元二郎就任第七任臺灣總督，七月廿二日到任。
△夏，林獻堂等人在東京發起六三法撤廢運動（其實是三一法）。

△東京臺灣留學生組成「啟發會」。

大正八年
（西元一九一九年） 五二歲

四月一日，被指定爲斗六街煙草專賣人。
九月廿七日，寄附私立臺灣商工學校貳百圓。
十二月五日，被選爲嘉義銀行取締役。
日本頒布「臺灣教育令」，禁止私塾、書院教習漢文。全島各地詩潮澎湃，怡園仍然弦歌不輟。
十一月二十日，長子林蘭芽被選爲新港青年會會長。
十二月二十日，長子林蘭芽被選任新港金融公司的公司長。
作〈祝臺南新報二十週年〉五律一首。
黃南球去世，著〈輓黃南球翁〉。
清水友人蔡年亨之母五十大壽，作〈祝蔡年亨令堂五旬榮秩〉一詩以賀。
參加文社、羅山吟社課題或徵詩。
本年（己未年）計作詩一百三十二首。
△一月四日，公佈「臺灣教育令」。這是日本在臺教育施行的法律依據，日本在臺的教育制度乃告確定。
△三月十五日，林熊徵等創立「華南銀行」。
△四月十九日，農林專門學校創立。
△八月一日，臺灣電力株式會社創立，高木友枝擔任第一任社長。
△八月十九日，制定「臺灣軍司令部條例」，明石元二郎就任第一任臺灣軍司令官。
△十月廿九日，田健治郎出任第一位文官總督，以「內地延長主義」為政策。

大正九年
（西元一九二〇年） 五三歲

三月六日，分產與侄兒林典。見證人爲林甲炳、王子修。
三月卅一日，月眉潭分校獨立（今新港月眉國小前身）。
四月一日，被指定爲斗六街煙草專賣人。
四月三十日，長男蘭芽之次女林瓊琚出生。
八月十九日，次男開泰之次子林新澤出生。
八月廿一日，被選爲嘉義公會堂評議員。
八月卅一日，郭金盤辭去月眉潭區長之職。
九月十日，被認定爲公共埤圳官佃溪埤圳組合會議員。
十月一日，被臺灣總督府任命爲臺南州協議會員。
十月一日，市街庄制實施，林甲炳被任命爲新巷（港）庄長。
鼓勵長子林蘭芽振興在地產業，邀集本地士紳林春旺與何炳淵集資開設桂香齋糕餅公司。
十一月五日，長子林蘭芽被任命爲新巷庄役場助役。
積極參與文社、羅山吟社、螺溪吟社徵詩或課題，詠懷詩逐漸消減，題贈酬酢詩增多。
新港支廳長平盛香離職十餘年後仍與林維朝以詩唱和。
與林拱辰、蔡梓舟以詩唱和。
作贈郡長楠田正義、町長曾木豐次等多首題贈詩。
作〈輓羅渙之君〉七絕二首。
本年（庚申年）作詩一百五十五首。
△一月十一日，東京的臺灣留學生組

成「新民會」，從事政治運動，發行刊物，帶動二十年代臺灣的多項社會運動。
△七月十六日，《臺灣青年》創刊。
△七月廿七日，地方行政制度變更，全島劃分為五州、二廳、下轄三市、四十七郡。並乘地方改制的同時，大幅度更改地名。新港與彰化縣「新港」同名，改稱「新巷」以區別之。
△十一月廿一日，警察飛行班基地所在地 —— 屏東飛機場落成。
△顏雲年創立「臺陽礦業株式會社」。

大正十年
（西元一九二一年） 五四歲

一月六日，長子林蘭芽被選爲新巷庄協議會副議長。
一月十六日，長子林蘭芽被選爲新港信用組合評定委員。
四月一日，被指定爲斗六街煙草專賣人。
四月廿四日，新港公學校改稱「新巷公學校」。
十一月二十日，長子林蘭芽再被選爲新巷青年會會長。
與蔡子昭、張笏山、羅蒓園、陳景初等唱和。
參加麗澤會、文社等徵詩或課題。
本年（辛酉年）作詩二百四十七首，多擊鉢詩及詩鐘。
△一月三十日，林獻堂等人向日本帝國議會提出「設置臺灣議會請願書」，從此展開「臺灣議會設置請願運動」。前後歷時十四年，共請願十五次。
△六月一日，成立「總督府評議會」，任命二十四名評議員。
△八月二日，總督府「中央研究所」

創立。

△十月十七日，臺灣文化協會成立，林獻堂出任總理。

△十一月十二日，連橫完成《臺灣通史》。

△本年度《番族調查報告書》全部刊行完畢。

大正十一年
（西元一九二二年） 五五歲

一月八日，長子林蘭芽再被選爲新港信用組合信用評定委員。

林維朝鼓勵一批有心傳承漢學薪火的青年，籌組「轂音吟社」，參加者有新巷、溪口、大埤等十數名。

四月一日，被指定爲斗六街煙草專賣人。

五月一日，新巷公學校高等科設置。

七月十五日，長男林蘭芽三子林光閭出生。

七月廿六日，新巷青年會解散，長子林蘭芽會長退職。

七月廿九日，長子林蘭芽被選爲新巷青年團副團長。

十月一日，被任命爲臺南州勸業委員（任期四年）。

因臺灣總督府施行酒類專賣制度，林維朝與人合資之源泉酒場歇業，改爲源泉醬油工場與染布坊。

十一月一日，長子林蘭芽被選爲嘉義郡新巷庄協議會副議長。

作〈關子嶺雜咏〉七絕六首。

與斗六黃丕承、林拱辰等唱和。

櫟社二十週年，作〈祝櫟社二十週年立碑紀念〉五律一首及七律兩首以賀。

師母胡氏嬌（業師楊楝樑之妻）七一大壽，拍攝寫真，林維朝作〈題師母楊胡氏孺人像贊〉一文。

△一月一日，「法三號」生效，同時「三一法」廢除。
△二月六日，修正「臺灣教育令」，除了普通學校、公學校以外，所有學校都依據日本內地學制實施。
△四月一日，開始實施日臺「共學制」。此後臺灣中等以上的教育機關比照日本國內制度紛紛設立。
△四月廿三日，總督府高等學校舉行開學典禮，是一所七年制的高等學校，為臺灣最初的高等教育機關。
△七月廿四日，總督府設置史料編纂委員會。
△十二月十六日，杜聰明取得京都帝國大學醫學博士學位，成為臺灣人第一位博士。

大正十二年
（西元一九二三年） 五六歲

一月七日，長子林蘭芽再被選爲新港金融公司的公司長。
一月十一日，長子林蘭芽再被選爲新港信用組合的信用評定委員。
一月廿二日，被選爲嘉義銀行取締役。
三月卅一日，長子林蘭芽被囑託嘉義郡水利組合事務。
四月一日，被指定爲斗六街煙草專賣人。
四月，日本皇太子到臺灣視察，十六日，皇太子一行人乘坐火車來到嘉義驛（火車站），嘉義郡守上車晉見，並帶著新港桂香齋製作的六盒新巷（港）飴作爲上貢的禮品。桂香齋旋即展開宣傳，一舉打響了新港飴的全臺甚至海外的知名度。
林維朝率創立的鷇音吟社加入嘉社。與朴子街樸雅吟社、鹽水街（今臺南縣鹽水鎮）月津吟社、西螺街（今雲林縣西螺鎮）菼社、北港街汾津吟社、新營、柳營二庄（今臺南縣新營市、柳營鄉）新柳吟社、布袋庄（今嘉義縣布袋鎮）鷲社，及嘉義市羅山吟社、玉峰吟社、鷗社，嘉義廳轄共十詩社，大冶一爐，設為嘉社。

八月十二日，嘉義銀行與商工銀行合併，辭去取締役。

八月十六日，被選為商工銀行取締役。

十一月八日，林甲炳卸下庄長之職。

十一月八日，長子林蘭芽升任新巷庄長。

十一月八日，長子林蘭芽就任新巷庄農業組合長。

十一月八日，長子林蘭芽就任新巷庄土地整理委員長。

十一月八日，長子林蘭芽就任赤十字社新巷庄分區委員。

十一月八日，長子林蘭芽被選為臺南州農會新巷庄地方委員。

三子林庭燎畢業於日本岡山專門醫學校。

作〈祝紫雲寺重修〉七律多首。

參加樸雅、文社、桐侶、屏東、清水、旗津、大冶、天籟、鹿港、鶴社、淡江、星社、萃英、汾津、白沙、嘉社等詩社徵詩或課題。

作〈和徐杰夫君五旬初度書懷〉七絕六首。

參加彰化節孝祠徵募聯文。

與徐杰夫、蔡子昭、賴尙遜等時相唱和。

本年（癸亥年）計作詩四百十一首。

△一月三十日，「臺灣議會期成同盟會」成立。

△一月，勸業銀行臺北分行成立，跨

足臺灣金融界。

△四月十五日，《臺灣民報》在東京發刊，有「臺灣人唯一的喉舌」之稱。

△四月十六日，日本東宮太子（後來登基為昭和天皇）抵臺，視察旅行十二天。

△九月一日，日本發生「關東大地震」。

△十二月十六日，日本當局對臺灣議會設置請願運動的活躍人士，進行全島性的整肅，爆發「治警事件」。

大正十三年（西元一九二四年） 五七歲

三月廿五日，三男庭燎之女林秀美出生。

四月一日，被指定爲北港街（今雲林縣北港鎮）煙草專賣人。

四月，「嘉義中學校」創立。

五月廿三日，長子林蘭芽被選爲嘉義郡農業組合聯合會評議員。

六月一日，長男蘭芽四子林光遠出生。

參加白沙、大冶、星社、羅山、萃英、嘉社、屏東、礪社等詩社徵詩或課題。

與蔡子昭等唱和。

作〈遊半天岩紫雲寺〉七絕五首。

作〈聖廟古榕〉七律五首。

本年（甲子年）計作詩二百四十八首。

△三月一日，「治警事件」，蔣渭水、蔡培火等十四名被起訴。

△四月廿一日，張我軍發表〈致臺灣青年的一封信〉，抨擊舊文學。

△八月十八日，「治警事件」一審判決，所有被告獲判無罪。

△十月廿九日，「治警事件」終審，蔡培火、蔣渭水判處四個月有期徒刑，林呈祿、陳逢源、蔡惠如等五

名判處三個月有期徒刑。
△十一月三十日，宜蘭線鐵路完工。

大正十四年（西元一九二五年）	五八歲	四月一日，被指定爲北港街煙草專賣人。 九月十八日，次男開泰之三男林本仁出生。 十一月一日，辭去商工銀行取締役之職。 參加修德禪院冠首聯、烟公司招牌、善化漢文研究會及屏東等詩社徵詩。 作〈祝玉峯吟社十週年紀念〉七律兩首。 作〈西山吟社五週年紀念〉七律兩首。 與初代岡田廳長分離十八年後再次相逢，以詩唱和。 作〈修德禪院落成〉七絕六首。 怡園菊花盛開，作〈舍下黃花盛開〉、〈黃花有開並蒂者詩以紀之〉、〈再咏並蒂菊〉等詩。 與黃茂笙等以詩唱和。 本年（乙丑年）計作詩二百二十首。 △二月廿三日，花岡一郎通過臺中師範學校入學考，成為第一位受師範教育的原住民。 △三月十一日，楊雲萍等出版《人人雜誌》。 △四月廿二日，公佈「治安維持法」。五月十二日起，於臺灣地區實施。 △六月一日，臺北橋竣工。 △六月廿八日，李應章成立「二林蔗農組合」，為臺灣農民運動的嚆矢。 △十月廿二日，蔗農與林本源製糖會社發生衝突，引發「二林事件」。 △十一月十五日，簡吉、黃石順等人成立「鳳山農民組合」。 △莊垂勝等人創辦「中央書局」，銷

售當時中國出版的圖書。

大正十五年
（至十二月廿五日止，次日起改元昭和元年）
（西元一九二六年） 五九歲

三月廿七日，長男蘭芽三女林瓊瑰出生。
十一月十六日，分產與三子林庭燎。見證人爲周達、郭寬容。
率先捐款並呼籲重修新港西義塚。
作〈讀吳節母林太淑人傳題後〉七律兩首。
參加彰化崇文社等詩社徵詩。
本年(丙寅年)計作詩一百三十七首。
△一月，楊逵、許乃昌、蘇新等人在東京成立「臺灣新文化學會」。
△三月廿七日，花東鐵路全線通車。
△六月十四日，總督伊澤多喜男為「蓬萊米」命名。
△六月十四日，「曾文農民組合」成立。
△六月廿八日，簡吉、趙港、黃石順等人發起「臺灣農民組合」，是臺灣最大規模的農民運動團體。
△七月三日，著有《臺灣番族圖譜》的森丑之助，在基隆港登船後失蹤。

昭和二年
（西元一九二七年） 六十歲

一月二十日，長子林蘭芽再被選爲新港信用組合評定委員。
邀竹社成員吳蔭培秀才至新港協同教館三年，栽培弟子洪大川、張禎祥等著名詩人。
七月十一日，次男開泰長女林淑貞出生。
九月，著〈重修新港西義塚碑記〉。時任新巷庄公共墓地管理人爲新巷庄長林蘭芽，董事爲林溪和。
𣪍音吟社創立五周年，開紀念吟會，

邀宴嘉社詩人。林維朝次子林開泰於紀念會上，撰有〈鷇音吟社五周年紀念大會〉一詩。

十月十八日，長子林蘭芽被選爲嘉義郡水利組合評議員。

十一月八日，長子林蘭芽連任新巷庄長。

作三十首〈臺灣雜咏〉七絕。

參加苓雅、苓洲、清水、天籟、大溪、岱江、北斗、以文、竹音等詩社徵詩或課題。

本年(丁卯年)計作詩三百六十一首。

△一月三日，臺灣文化協會正式分裂，連溫卿提新綱領。左派勢力掌握文協的主導權；蔣渭水、蔡培火等人退出文協。

△二月一日，總督府解散「黑色青年聯盟」，四十四名無政府主義者被捕。

△七月十日，臺灣民眾黨成立，是臺灣人歷史上第一個具有現代性質的政黨。

△八月十日，《臺灣民報》正式在臺灣發行。

△十月廿七日，第一屆臺陽美展開辦。

昭和三年
（西元一九二八年） 六一歲

一月七日，辭去新港信用組合監事之職。

四月十六日，長男蘭芽五男林光風出生。

贈匾新港大潭精忠廟(全臺最早的岳王廟)一方「精忠貫日」匾額。

六月十五日，以長子林蘭芽名義寄附臺南州嘉義郡新巷庄公會堂建設敷地壹分七毫(今媽祖大樓對面十八崁商店後面)；並捐獻新巷庄公會堂建設經費壹仟圓。
七月十日，與東石郡六腳庄（今嘉義縣六腳鄉）士紳呂昇平及本地士紳洪光星、周達等合資經營新隆益商行。
與好友陳景初編輯《崇文社百期文集》，由嘉義蘭記書局出版。
十一月十日，日本臨濟宗大本山妙心寺，致送新港奉天宮日本天皇御壽牌及證書。
十一月十六日，賞勳局授與林維朝及其長子，時任新巷（新港）庄長的林蘭芽兩人大禮記念章之證。
十二月一日，舉行新港奉天宮聖壽牌奉安紀念式，並攝影留念。
陰曆十一月，為了慶祝林維朝六一大壽，林家連續演了三天「大戲」，並擺了三天壽宴，供前來道賀的人潮食用。軒亭上兩方匾額「天錫純嘏」、「壽考維祺」即六一大壽時至交好友所贈。
林維朝弟子，曾擔任雙溪口庄長的張進國，亦效法其師結社吟詠，手創笑園吟社，社員三十餘名，春秋佳日，觴詠於張氏別墅笑園。
林維朝六一大壽，友人黃鴻翔、陳景初、吳蔭培、徐杰夫四人作〈壽序〉以賀。
詩友鹿港蔡子昭，臺南陳木池、黃廷禎、翁爾鏗、張肇吉、謝紹楷、鄧大聰、黃忻昭、陳璐卿、林子章、吳子屏、陳雲汀、林珠浦、陳碧瑜，斗六黃服五、黃丕承，嘉義賴尚遜、黃守仁、莊伯容、黃葆鍾，朴子黃啓棠，鷺江（廈門）黃鴻翔等人著壽詩以賀。
至交陳景初、蘇朗晨、吳蔭培、林玉書、林甲炳、林珠浦、徐杰夫等親自登門祝壽，並作〈登堂祝嘏壽言〉。

六一大壽適值怡園花開並蒂，詩友作〈並蒂菊〉以賀。
林維朝將友人所寫的壽文、壽詩及詠並蒂菊詩，輯爲《壽詩文集附并蒂菊詩》。
參加岱江、苓洲、天籟等詩社徵詩或課題。
作〈祝新港公學校三十週年〉七律一首。
作〈輓張祉亭君兩女〉七絕兩首。
作〈張進國君開業十五週年詩以祝之〉七絕一首。
作〈螺溪硯〉七律五首。
本年（戊辰年）計得詩三百十一首。
作〈祝新港公學校三十週年〉一文。
作〈祝北港公學校校友會雜誌發刊〉一文。
作〈苓洲吟社徵詩集序〉一文。
△二月十九日，臺灣工友總聯盟正式成立，共二十九個團體，六三六七人。臺灣的工運，逐漸進入高潮。
△三月十七日，臺北帝國大學創校，是臺灣史上第一所大學。
△四月十五日，謝雪紅等人於上海成立「臺灣共產黨」（日本共產黨臺灣民族支部）。此後，更加激化臺灣的左翼運動。
△七月十四日，建功神社舉行鎮座儀式。
△九月十二日，伊能嘉矩《臺灣文化志》出版。

昭和四年
（西元一九二九年） 六二歲

七月九日，新港經月眉潭到嘉義的公路拓寬完成，從此大型汽車可以通行。
十一月廿一日，長男蘭芽四女林瓊玖出生。

十二月，以長子林蘭芽名義再捐獻新巷庄公會堂建設經費壹仟圓。

陰曆十一月六日，著〈蔡瑞芳先生吊詞〉，悼念北港街庄長蔡瑞芳（字然標）。

北港街友人憂慮蔡然標之立身行事久而湮沒不彰，故懇請林維朝爲他撰寫墓誌銘，並勒之於石。陰曆十一月十五日，林維朝著〈蔡瑞芳先生墓表〉，爲明治三十九年（一九〇六）大地震後重建北港朝天宮，及大正九年（一九二〇）建築北港溪東北隅堤岸的北港街民守護者 — 蔡然標留下文獻紀錄。

嘉社重編社員名簿，轂音吟社社員爲張象賢、何際虞、郭寬容、張進國、吳石祥、黃傳心、林開泰、張禎祥、沈玉光、吳瓊榮、洪大川等十一人。

本年(己巳年)約作詩二百七十四首。

△三月廿九日，《臺灣民報》改名為《臺灣新民報》。

△七月三十日，石塚英藏出任總督。

△十月十日，矢內原忠雄《帝國主義下的臺灣》刊行。被總督府列為禁書，不准在臺灣島內發行。

昭和五年
（西元一九三〇年）　六三歲

一月二十日，長子林蘭芽當選爲新港信用組合監事。

新港第一間戲院「新巷座」（即新港戲院前身）至遲在昭和五年已設立。

三月十九日，次男開泰次女林蕊珠出生。

三月十九日，次男開泰元配吳拖難產死亡。

參加淡北吟社及中華會館等徵詩。

本年（庚午年）約作詩八十一首。

△四月十日，興工費時十年的嘉南大

		圳完工。 △四月十二日，總督府成立「臨時產業調查會」。 △八月十七日，「臺灣地方自治聯盟」成立，是日治時期臺灣的右翼社運團體。 △九月九日，《三六九小報》創刊。 △十月廿七日，霧社泰雅族的原住民，不滿長期受欺壓，爆發了震驚島內外的「霧社事件」，泰雅族馬赫坡社頭目莫那魯道率領族人起事，霧社地方的一百三十四名日本人被殺。 △本年度，總督府開始進行「番地開發調查」。
昭和六年 （西元一九三一年）	六四歲	次男林開泰續弦，繼室為彰化街吳道欉之女吳秀春。於二月八日婚姻入戶。 依七月十二日公證第三〇四號不動產贈與契約公正證書，分產與未成年之四子林希文。見證人為周達、林甲炳。 十一月八日，長子林蘭芽再連任新巷庄長。 十一月十八日，長子林蘭芽被選任為嘉義郡水利組合評議員。 十一月十八日，次子開泰與吳秀春之女林慈愛出生。 作〈題新高製糖會社島人社友俱樂部〉七律一首。 作〈北港義民祠題壁〉五絕二首、〈北港義民祠旌義亭門聯〉一對、〈義犬對聯〉二對。 本年（辛未年）約作詩八十九首。 △一月五日，王敏川當選新文協中央委員長。

		△一月十六日，臺灣總督石塚英藏因霧社事件引咎辭職。 △二月十八日，臺灣民眾黨被勒令解散。 △六月一日，張維賢、楊木元等創立「民烽劇團」。
昭和七年 （西元一九三二年）	六五歲	作〈城隍廟題壁〉七絕一首。 本年（壬申年）約作詩二十一首。 作〈輓劉廷輝君吊詞〉一文。 作〈周達君吊詞〉一文。 作〈鄭淵翁吊詞〉一文。 △一月一日，郭秋生等人出版《南音》。 △三月二十日，巫永福、張文環、王白淵等人在東京成立「臺灣藝術研究會」。 △十月廿六日，明治橋（今中山橋）新建工程完工。 △十一月廿八日，菊元百貨店落成，為臺灣第一家百貨公司。 △葉清耀自明治大學畢業，成為臺灣第一位法學博士。
昭和八年 （西元一九三三年）	六六歲	二月四日，將資產與債務平均分配給長子林蘭芽與次子林開泰。見證人爲吳道欉、林甲炳。 次子林開泰搬出北勢街（今中正路）的林家古宅（即林維朝故居）；遷入宮後街（今大興路）的新宅（即林開泰古厝）。 爲長子林蘭芽宅第命名「光裕堂」；次子林開泰宅第命名「培桂堂」，並分別爲之作聯文。 三月六日，長子林蘭芽被推薦爲嘉南大圳組合常務委員。 三月廿九日，次子開泰三男林松茂出

生。

作〈次李少菴君四十初度書懷〉七律四首。

作〈贈地師侯亨元〉七絕一首。

本年（癸酉年）約作詩二十七首。

△五月十五日，臺北帝大刊行「新港文書」。

△七月十五日，《福爾摩沙》雜誌創刊。

△十月二日，施乾創立「愛愛寮」，收容乞丐。

昭和九年（西元一九三四年）　六七歲

四月十七日，林維朝次子林開泰辭去新巷（新港）公學校校醫之職。由林泰料接任。

本年（甲戌年）約作詩十四首。

四月廿六日（陰曆三月十三日），林維朝過世。出殯時，扛棺材者清一色爲五社林族親。民眾自動擺出香案祭拜。

六月一日，新巷（新港）庄長，維朝長子林蘭芽，及甫辭職的新巷（港）公學校校醫，維朝次子林開泰，爲了紀念亡父，捐贈新巷公學校一座升旗臺，於本日竣工

各界致悼的誄弔詩文及輓聯，由長子林蘭芽彙集成《哀餘集》，陳景初寫〈序〉，於昭和十一年（一九三六）出版。

△五月六日，「臺灣文藝聯盟」於臺中創立，賴和出任委員長。

△六月三日，日月潭水力發電廠完工，對日治後期臺灣的工業發展有相當的影響。

按：

一、本年譜之紀年，清領時期採清朝年號，日治時期採日本和曆。並均加註西曆。

二、一八九五年陽曆六月十七日，臺灣總督府舉行「始政」典禮起，則改爲日本年號明治二十八年。

三、一八九五年之前，日期採陰曆爲主；若採用陽曆者，則於日期之上，加「陽曆」二字以作區別。

四、明治二十九年（一八九六）起，日期採陽曆爲主，若採用陰曆者，則於日期之上，加「陰曆」二字以作區別。

五、年譜編排方式，前爲林維朝事蹟及新港大事記，以細明體標示；後爲臺灣大事記，以標楷體標示。

參考文獻

一、參考書目

林維朝，《勞生略歷》，收入林維朝原著，陳素雲主編，《林維朝詩文集》，臺北縣新店市：國史館，2006 年

林維朝，《初囀集》，收入《林維朝詩文集》

林維朝編著，《怡園唱和集》，收入《林維朝詩文集》

林維朝編，《壽詩文集附并蒂菊詩》，其中《壽文集》收入《林維朝詩文集》

林維朝，《吟園吟草（一～五）》（未出版）

林維朝，《雜作》（未出版）

林維朝，《文稿》（未出版）

林維朝、陳景初編，《崇文社百期文集》，嘉義：蘭記書局，昭和三年（1928）

林蘭芽編，《鐵網珊瑚》（未出版）

林蘭芽，《昭和五年日記》（未出版）

林蘭芽，《昭和七年日記》（未出版）

林蘭芽編，《哀餘集》，嘉義縣新港鄉：林蘭芽自費出版，1936

年

（日）五十嵐榮吉編纂，《大正人名辭典》，東京：東洋新報社，1915 年第二版發行

（日）下村宏監修、鷹取田一郎執筆，《臺灣列紳傳》，臺北：臺灣總督府，1916 年

施梅樵，《捲濤閣詩草》，臺南：施梅樵發行，鴻文活版舍印刷，大正十五年（1926）

嘉義縣文獻委員會編，《嘉義縣志稿卷七人物志》，嘉義：嘉義縣文獻委員會，1962 年

洪大川，《事志齋詩文集》，雲林縣北港鎮：洪大川自費出版，1966 年

李安邦，《漢族開臺基地笨港舊跡及其歷史文物流落考》，嘉義縣新港鄉：李安邦自費出版，1966 年

第一銀行慶祝創立七十週年籌備委員會編，《第一銀行七十年》，臺北：第一銀行出版，1970 年

鄭喜夫纂輯，《臺灣地理及歷史》，臺中：臺灣省文獻委員會，1980 年

洪敏麟，《台灣地名沿革》，臺中：臺灣省政府新聞處，1985 年再版

蔡相煇等編修，《笨港史的真象 — 笨港毀滅論、天妃廟正統卅年公案之廓清》，雲林縣北港鎮：笨港媽祖文教基金會，1990 年 6 月初版

臺灣省嘉南農田水利會編，《嘉南農田水利會七十年史》，臺南：臺灣省嘉南農田水利會，1992 年

黃秀政，《臺灣研究史》，臺北：臺灣學生書局，1992 年

林德政主修，《新港奉天宮志》，嘉義縣新港鄉：財團法人新港奉天宮董事會，1993 年初版

邱奕松，《樸雅詩存》，嘉義縣朴子市：嘉義縣詩學研究會，1994 年

廖嘉展，《老鎮新生》，臺北：遠流出版公司，1995 年

顏新珠編著，《打開新港人的相簿》，臺北：遠流出版公司，1995 年

蔡相煇編撰，《北港朝天宮志》，雲林縣北港鎮：財團法人北港朝天宮董事會，1995 年增訂初版

彭瑞金，《台灣文學探索》，臺北：前衛出版社，1995 年

許佩賢譯，《攻臺見聞 — 風俗畫報·臺灣征討圖繪》，臺北：遠流出版公司，1995 年

張炎憲等主編，《臺灣史論文精選》，臺北：玉山社，1996 年

連横，《臺灣通史》，臺北：時報出版公司，1996 年

吳文星等編著，《臺灣開發史》，臺北縣蘆洲市：國立空中大學，1996 年

施懿琳、楊翠合撰，《彰化縣文學發展史》，彰化：彰化縣立文化中心，1997 年

江寶釵，《嘉義地區古典文學發展史》，嘉義：嘉義市立文化

中心，1998年
鄭世楠等著，《台灣十大災害地震圖集》，臺北：中華民國交通部中央氣象局暨中央研究院地球科學研究所印行，1999年
李筱峰，《台灣史一〇〇件大事》，臺北：玉山社，1999年
遠流台灣館編著，《台灣史小事典》，臺北：遠流出版公司，2000年
曾品滄執行編輯，《笨港古文書選輯》，臺北縣新店市：國史館，2001年
周炳志等編輯，《新港慢步香》，嘉義縣新港鄉：財團法人新港文教基金會，2002年
（日）西原雄次郎編著，劉萬來譯，《新高製糖簡史》，雲林縣大埤鄉：臺灣糖業文化協會，2003年
張禎祥，《三秀園詩草》，雲林縣大埤鄉：張達聰自費發行，2003年
陳素雲主編，《新港五社林族譜初稿》，嘉義縣新港鄉：陳素雲自費印行，2003年
許雪姬總策劃，《臺灣歷史辭典》，臺北：文建會，2004年
國史館臺灣文獻館編，《臺灣早期書畫專輯》，南投：國史館臺灣文獻館，2006年再版
林維朝原著，陳素雲主編，《林維朝詩文集》，臺北縣新店市：國史館，2006年

黃佳芬，《洪大川詩文研究》（碩士論文），雲林縣斗六市：國立雲林科技大學漢學所，2007 年

新港公學校，《學校沿革誌》（未出版）

新港公學校，《舊職員履歷書綴》（未出版）

鄭朗雲，《新港故鄉史》（未出版）

二、期刊論文

賴子清，〈古今臺灣詩文社（一）〉，《臺灣文獻》第十卷第三期，1959 年 9 月

賴子清，〈嘉義科甲選士錄〉，《嘉義文獻》創刊號，1961 年 10 月

賴鶴洲，〈諸羅文化三百年概說〉，《嘉義文獻》創刊號，1961 年 10 月

李獻璋，〈笨港聚落的成立，及其媽祖祠祀的發展與信仰實態〉，《大陸雜誌》第三十五卷第七、八、九期，1967 年 10、11、12 月

洪敏麟，〈從潟湖、曲流地形之發展看笨港之地理變遷〉，《臺灣文獻》第廿三卷第二期，1972 年

邱麟翔，〈嘉義縣鄉賢錄〉，《嘉義文獻》第十四期，1983 年 7 月

陳瑞祥，〈登雲書院考略〉，《臺灣史蹟研究論文選輯》，臺灣史蹟源流研究會七十四年會友年會編，1985 年

賴子清，〈嘉義縣史蹟及詠史詩〉，《嘉義文獻》第十八期，1988年6月

林松茂，〈新港五社林源頭〉，嘉義縣新港鄉：《新港文教基金會會訊》第五五期，1997年7月

林松茂，〈探訪河洛．牧野祭比干〉，嘉義縣新港鄉：《新港文教基金會會訊》第五六期，1997年8月

張瑞津、石再添，〈臺灣西南部嘉南海岸平原河道變遷之研究〉，《師大地理研究報告》第廿七期，1997年

陳素雲，〈追溯一頁失落的歷史 — 新港五社林的故事〉，嘉義縣新港鄉：《新港文教基金會會訊》第八一期，1999年9月

陳素雲，〈看新港百年大「震」撼〉，《新港文教基金會會訊》第八三期，1999年11月

陳素雲，〈新港磚瓦窯史（一）〉，《新港文教基金會會訊》第一〇九期，2002年1月

陳素雲，〈糖鐵嘉北線與北港鐵橋〉，《臺灣月刊》第二三九期，2002年11月

陳素雲，〈新港老店鋪的門聯〉，《新港奉天宮平安報(雙月刊)》第五期，2003年1月

陳素雲，〈尋找新港老店鋪 — 嘉昌商行〉，《新港奉天宮平安報（雙月刊）》第十期，2003年11月

陳素雲、向明珠，〈和釀芬芳 — 探尋新港鄉醬油產業〉，《新

港文教基金會會訊》第一四七期，2005 年 3 月
陳素雲，〈尋找新港老店鋪 — 桂香齋〉，《臺灣月刊》第二七〇期，2005 年 6 月
林德政，〈登雲書院末代山長林旭初的一生〉（未出版）

三、其 他

林維朝，〈事蹟〉（未出版）
林維朝，〈經歷〉【迄大正三年（1914）3 月】（未出版）
林維朝，〈新港媽祖廟略歷〉（未出版）
林維朝，〈履歷書〉【昭和三年（1928）8 月 7 日撰】（未出版）
林維朝全戶之戶籍謄本【昭和八年（1933）】
〈第拾六號合資會社嘉義銀行出資證券〉，明治三十八年（1905）4 月 30 日
〈嘉昌商行合資契約書〉，大正七年（1918）4 月 1 日所立
〈嘉義工業傳習所第一〇號出資證券〉，大正七年（1918）5 月 16 日
〈蘇荖退股字〉，大正七年（1918）9 月 2 日所立
〈財產配與書〉，大正九年（1920）3 月 6 日所立，財產分與人爲林維朝，財產承受人爲林典
〈財產抽出證書〉，大正十五年（1926）11 月 16 日所立，財產分與人爲林維朝，財產承受人爲林庭燎
〈新隆益契約書〉，昭和三年（1928）7 月 10 日所立

〈不動產贈與契約公正證書正本〉，昭和六年（1931）7 月 12 日所立，財產分與人爲林維朝，財產承受人爲林希文

〈財產分配書〉，昭和八年（1933）2 月 4 日立，財產分與人爲林維朝，財產承受人爲林蘭芽、林開泰

林蘭芽，〈履歷書〉（未出版）

《臺灣日日新報》明治四十三年（1910）年 3 月 26 日

胡氏嬌（楊楝樑之妻）全戶戶籍謄本

陳素雲於 1984 年 7 月 5 日訪問鳳儀社團員林金宗之談話紀錄

陳素雲於 1994 年 8 月 7 日專訪林煌策之孫林英敏之談話紀錄

陳素雲於 1996 年 5 月 6 日訪問舞鳳軒團長徐東海之談話紀錄

陳素雲於 1996 年 8 月 1 日採訪林英敏之談話紀錄

陳素雲於 1999 年 6 月 10 日專訪嘉義耆老蔡義方之談話紀錄

陳素雲於 2001 年 11 月 1 日專訪大埤詩人張禎祥次子張達仁之談話紀錄

陳素雲於 2003 年 10 月 30 日專訪楊楝樑曾孫楊朝陽之談話紀錄

陳素雲於 2006 年 9 月 17 日專訪嘉義市蘇周連宗親會榮譽理事長蘇嘉慶之談話紀錄